SPIRALE 2

LIVRE DE L'ÉLÈVE

JACQUELINE JENKINS · BARRY JONES

avec l'assistance de Helen Cross

Hodder & Stoughton

A MEMBER OF THE HODDER HEADLINE GROUP

Acknowledgements

Jacqueline Jenkins would like to thank David, Jessica and Jonathan for their encouragement and support during the writing of the book, as well as her family in France. Barry Jones would like to thank his wife Gwenneth for her long-suffering patience and her ideas, Matthew and Daniel for their helpful suggestions, Monique Alcott for her suggestions of activities and appropriate language, Alan and Hélène Line for their help with photos, and the pupils of Hayle School, Cornwall and Sawston Village College together with teachers Pauline Richter and Anne O'Reilly for their ideas for the magazine.

The authors are indebted to Charlotte Steedman and Shirley Baldwin for their hard work and commitment. They are also grateful to Oliver Gadsby, Helen Cross, Angie Littler and all those who have worked on *Spirale*.

Special thanks are due to Mme Godard and the pupils of the Lycée Français who took part in the recordings.

The authors and publishers are grateful to the following for permission to reproduce photographs: Air France p124 (top left); All-Sport Seoul '87/David Cannon p68; J. Allan Cash p46 (top left), 95 (top right, 2 photos), 100 (top centre), 118, 124 (centre right), 130 (left), 201 (top & bottom right), 202 (right); Cathy Baldwin p46 (bottom right); Shirley Baldwin, pp11, 22 (top & bottom right), 34 (bottom left), 46 (top right), 50 (bottom left), 56 (left, centre left & top right), 63 (centre right & left), 64, 66, 69 (left, centre right), 87 (top left), 95 (left centre, right centre, bottom right & left), 97 (top centre & right), 100 (top left), 101, 110 (top left and centre, top right), 121, 126, 129, (top right, bottom left), 137 (bottom centre & left), 153 (bottom), 155 (centre 3rd from bottom, centre right), 160, 165, 166, 201 (bottom left), 203 (centre & right); Barnaby's p110 (bottom left); The Bettmann Archive (centre & far right); Bridgeman Art Library p33 (top & bottom); British Film Institute p42; China National Tourist Office p46 (centre left); Citroën p76; ENIT p100 (bottom centre); Oliver Gadsby p100 (bottom left); Chris Gilbert pp34 (top & bottom left), 61, 67 (left), 71, 110 (bottom centre), 124 (left, 2nd from top), 145 (bottom), 155 (top left), 171 (top), 174, 191 (right), 212, 222; Robert Harding pp26 (bottom left), 46 (bottom left), 100 (bottom right); Hoverspeed p124 (left, 3rd from bottom); IMPS p147; JNTO p100 (top right); London Symphony Orchestra p137 (top right); J. Lowe p72; Donald Mungall pp76, 221; Elizabeth Mungall p202 (bottom left); Ian Mungall pp22 (top right), 56 (bottom left); Nasa p124 (bottom right); Quadrant p201 (top left); Rex p164 (centre); Nigel Simpson pp8, 34 (centre), 63 (bottom), 67 (bottom right, centre, far & centre left), 95 (left, 2nd & 4th from top), 97 (left), 102 (centre left), 124 (left, 4th & 5th from top, top right), 126 (3 photos), 129 (top left & centre, bottom right), 132 (bottom left), 137 (top left), 150, 151, 171 (centre & bottom), 172 (bottom), 191 (bottom), 202 (centre), 203 (right), 204, 218 (bottom); David Simson/das Photo pp10, 14, 50 (top & right), 76 (2 photos), 84, 87 (top right, right centre, 2nd col from left: bottom 2 photos), 115, 162, 203 (left), 215 (bottom); Spanish Tourist Office p182 (top left); Colin Taylor pp83, 116, 117, 159, 187, 206; Topham Picture Source pp51 (bottom left & right), 132 (top left), 148, 149, 164 (far & centre left). All other photographs supplied courtesy of the authors.

The publishers would like to thank the following for permission to reproduce material in this volume: Association Française contre les Myopathies, Paris (p216, bottom left); Association Périgord Randonnée, Lussas (p183, right); © *Astrapi* – Bayard Presse, 1987, 1988, 1989, 1990, 1991, 1992 – Bob Barborini, Rémi Saillard, Mario Ramos, Martin Berthommier, Bernadette Desprès, Monike Czarnecki, Jean-Claude Mattrat, Stanislas Barthélemy, Serge Bloch, Benoît Marchon, Jacqueline Cohen, Nicolas Wintz (pp8, top right; 13, right; 28, bottom left; 30, bottom right; 33 middle left, centre right, bottom left, centre right; 45, middle; 146, top right; 163, top; 179, bottom; 203, bottom left; 204, bottom centre); M. Bouvet, Maison des Arts, Créteil (p145); Cinéma Le Drakkar (M. Ouvrard), Dives-sur-Mer (p145); Croix-Rouge Française, Paris (p216, centre right); L'école des loisirs: une page extraite du NEZ DE VÉRONIQUE par Gérard Pussey et Claude Bujon (p17); Editions Nove, Milau (p206, bottom left); Grottes de Betharram, St Pé de Bigorre (p183); Hallmark Cards USA (p130); *Journal des Enfants* – weekly national, international and local news magazine for children from 8–14. Information/subscription: 25, ave. du Président Kennedy, 68072 Mulhouse Cédex. Tel: 89.32.70.10. (p147, centre); Météorologie Nationale (p194, centre right, bottom right); Mercure de France: *La vie devant soi* (p34); © *Okapi* – Bayard Presse 1988, 1991 – Véronique Fleurquin, Gilles Grimon (pp32, centre, bottom; 51, bottom centre, bottom right; 52, top left; 220, bottom left); Pandora (M. Alain Girard), Paris (p145); Restaurants du Cœur, Paris (p208, bottom centre); *Télé-Loisirs*, Prisma Presse, Paris (p180); *Télé 7 Jours*, Hachette Groupe Presse, Neuilly-sur-Seine (p180); Théâtre de la Renaissance, Paris (p142); Théâtre Marigny, Paris (p142); © V.M.S. Publications, Paris (p66, top right). Timbre-poste français reproduit avec l'autorisation de La Poste française.

The publishers would also like to thank the following for use of their material: Artaud Frères, Editeurs, Nantes; Association Daniel Balavoine, Asnières; Association pour la Recherche sur le Cancer, Villejuif; Blabla, Paris; Casino de Cabourg, Cabourg; F. Chapeau, Editeur, Nantes; Combiet, Imprimeur, Mâcon; Diabolo, Editions Milan, Toulouse; Editions Estel, Blois; Editions Expo-Photo, Valloire; Editions Normandes, Caen; *Flunchy Flash*, Villeneuve d'Ascq; *France-Soir*, Paris; Inédite, Aixe-sur-Vienne; L'Aguzou Grottes, Quérigut; Midicap, Toulouse; Moulin Richard de Bas, Ambert; Office de Tourisme, Quillan; *Pariscope*, Paris; Plaisir des Arts, Cabourg; *Podium*, Paris; *Salut*, Gogédipresse, Paris; Soutien à l'Equipe de France Olympique, Albertville; *Starclub*, Paris; *Star Music*, Paris; Supform Club, Antony; *Télé de A à Z*, Paris.

Evert effort has been made to trace and acknowledge ownership of copyright. The publishers will be glad to make suitable arrangements with any copyright holders whom it has not been possible to contact.

Cover illustration: Sally Renwick

British Library Cataloguing in Publication Data
Jenkins, Jacqueline
    Spirale. - Vol. 2: Livre de l'Eleve
    I. Title II. Jones, Barry
    448.3

    ISBN 0-340-54756-1

First published 1992
Impression number   9 8 7 6
Year   1999 1998

Typeset by Wearset, Boldon, Tyne and Wear.
Printed in Great Britain for Hodder & Stoughton Educational, a division of Hodder Headline Plc, 338 Euston Road, London NW1 3BH by Scotprint Ltd, Musselburgh, Scotland.

Contents

Ma bouée de sauvetage

À tour de rôle Take it in turns
À vous maintenant! Over to you!
Affichez Stick up
Aimez-vous . . . ? Do you like . . . ?
Apprenez Learn
Apprenez les mots Learn the words
Apprenons Let's learn
Avez-vous . . . ? Do you have . . . ?

Cachez Hide
Changez de rôle Change roles
Chantez Sing
Choisissez Choose
Choisissez une de ces activités Choose one of these
    activities
Cochez la case Tick the square
Collez les étiquettes Stick the labels
Combien How much, how many
Commencez par Begin by
Comparez Compare
Complétez les phrases Complete the sentences
Connaissez-vous . . . ? Do you know . . . ?
Consultez votre dictionnaire Refer to your dictionary
Créez Create
Croyez-vous . . . ? Do you believe . . . ?

De quoi s'agit-il? What's it about?
Décidez Decide
Décrivez Describe
Découpez Cut up
Demandez Ask
Dessinez Draw
Dites Say
Donnez Give
Donnez des conseils Give advice

Échangez Exchange
Écoutez Listen
Écoutez bien Listen carefully
Écoutez encore une fois Listen once again
Écoutez la cassette Listen to the tape
Écoutez la chanson Listen to the song
Écoutez la conversation Listen to the dialogue
Écrivez Write
Écrivez la bonne réponse Write down the correct
    answer
Écrivez une liste Write a list
Enregistrez Record
Essayez Try
Étudiez Study
Expliquez Explain

Faites correspondre Match up
Faites de la publicité Make an advertisement
Faites des comparaisons Make some comparisons
Faites des phrases Make up some sentences
Faites des recherches Do some research
Faites les exercices Do the exercises
Faites une liste Make a list
Faites un sondage Carry out a survey
Fermez Close
Formez des groupes Get into groups

Gardez Keep

Identifiez Identify
Il vous faut . . . You need . . .
Imaginez Imagine
Inscrivez Write
Interviewez Interview
Illustrez Illustrate

Jouez à deux Play in pairs
Jouons Let's play

Lisez Read
Lisez le questionnaire Read the questionnaire
Lisez les vignettes Read the labels

Maintenant à vous de . . . Now it's your turn to . . .
Mémorisez Memorise
Mettez Put
Mettez dans le bon ordre Put into the correct order

Notez les réponses dans votre cahier Write down the
    answers in your exercise book
Notez les erreurs Note the mistakes
N'oubliez pas de . . . Don't forget to . . .

Oui ou Non? Yes or No?

Parlez Speak
Pensez-vous . . . ? Do you think . . . ?
Piochez deux cartes Take two cards
Posez les questions Ask the questions
Pour vous aider To help you
Prenez la place de Take the place of
Prenez vos stylos Take your pens

Quel(le) est . . . ? What is . . . ?
Quelles différences remarquez-vous? What differences
    do you notice?
Quels sont . . . ? What are . . . ?
Que vous faut-il pour . . . ? What do you need in
    order to . . . ?
Qui est . . . ? Who is . . . ?

Racontez Tell
Regardez Look
Regardez la publicité Look at the advertisement(s)
Regardez les bulles Look at the bubbles
Regardez les photos Look at the photos
Regardez le tableau Look at the table
Regardez l'illustration Look at the illustration
Remettez Put back
Remplissez la fiche Fill in the form
Remplissez la grille Fill in the grid
Remplissez les trous Fill in the gaps
Répondez Vrai ou Faux Reply True or False

Savez-vous . . . ? Do you know . . . ?
Suivez le modèle Follow the model
Suivez l'exemple Follow the example
Suivez les instructions Follow the instructions

Travaillez Work
Travaillez à deux Work in pairs
Travaillez avec un(e) partenaire Work with a
    partner
Travaillez en groupes Work in groups
Travaillez tout seul Work on your own
Trouvez Find
Trouvez l'équivalent Find the equivalent
Trouvez les erreurs Find the mistakes

Utilisez Use

Vous allez entendre You will hear
Vous n'aimez pas . . . ? Don't you like . . . ?
Vrai ou Faux True or False

MODULE 1

Drôles de gens

Objectifs

Décrire et comprendre les parties du corps.

Décrire et comprendre un état (avoir mal quelque part).

 A

1 Regardez l'illustration et écoutez la cassette. Apprenez les mots des différentes parties du corps.

2 Écoutez encore une fois la cassette et dessinez les parties du corps.

3 À vous maintenant! Faites votre 'Drôles de gens'!

Recette *Spirale* pour faire votre 'Drôles de gens':

1. Il vous faut des magazines.
2. Il faut chercher vos 'stars' préférées.
3. Il faut découper la tête d'une star, le bras d'une autre star, etc.
4. Il faut coller chaque partie du corps – et voilà votre 'Drôles de gens'!

le front — la tête
les yeux — le nez
les oreilles — la joue
la bouche — le menton
la main — le bras
la jambe — le pied

4 À tour de rôle.
Échangez vos 'Drôles de gens' et dites à votre partenaire:
'C'est la jambe de . . .'
'Là, c'est le nez de . . .'

B *Le mini prof*

Parlez.
Imaginez que vous avez un petit frère, une petite sœur ou un(e) petit(e) voisin(e).
Dites ce que chaque dessin représente.

Exemple: 1. C'est le nez.

Aide-Mémoire

le corps *the body*
le cou *the neck*
le ventre *the stomach*
le dos *the back*
le bras *the arm*
le genou *the knee*
le coude *the elbow*
le pouce *the thumb*
la tête *the head*
la poitrine *the chest*
la gorge *the throat*
la main *the hand*
la jambe *the leg*
le pied *the foot*
les pieds *the feet*
le doigt *the finger*
les doigts *the fingers*
les doigts de pied *the toes*
les épaules *the shoulders*
les poumons *the lungs*
le front *the forehead*
le nez *the nose*
le menton *the chin*
le visage *the face*
la bouche *the mouth*
la joue *the cheek*
la langue *the tongue*
l'œil *the eye*
les yeux *the eyes*
les oreilles *the ears*
les dents *the teeth*
les cheveux *the hair*
les sourcils *the eyebrows*
les lèvres *the lips*

Drôles de gens

 C

Écoutez.
Connaissez-vous le jeu de 'Jacques a dit'?
Jouons ensemble. Suivez les instructions.

C'EST GRAVE ?

Envoyé par Stéphanie

Maman, emmène-moi chez le docteur! la maîtresse a dit de soigner mon écriture.

Jacques a dit . . .

Jacques a dit, 'Mets ta main sur ton nez.'

Jacques a dit, 'Tire ta langue,

lève ton bras.'

Jacques a dit, 'Ouvre la bouche,

ferme tes yeux.'

Jacques a dit, 'Tire tes cheveux,

montre ton dos.'

Jacques a dit, 'Montre tes dents,

lève les sourcils.'

Qui a été éliminé(e) le premier/la première?
Qui a gagné?

À vous maintenant!
Parlez
Jouez à 'Jacques a dit' avec vos camarades.

 D

S.O.S. médecin!

Écoutez ces cinq personnages. Où ont-ils mal? Écrivez la bonne réponse.

Personne 1	
Personne 2	
Personne 3	
Personne 4	
Personne 5	

N'écrivez pas sur cette grille

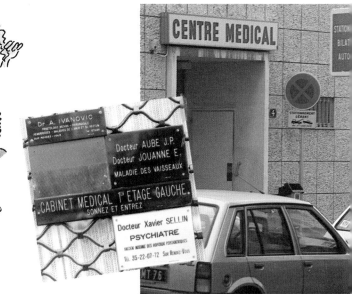

CENTRE MEDICAL

Dr A. IVANOVIC

Docteur AUBE J.P.
Docteur JOUANNE E.
MALADIE DES VAISSEAUX

CABINET MEDICAL 1ᵉʳ ETAGE GAUCHE
SONNEZ ET ENTREZ

Docteur Xavier SELLIN
PSYCHIATRE

E *Un médecin bien occupé*

Écoutez ces malades et ce médecin bien occupé.
Trouvez les erreurs. Répondez Vrai ou Faux.

1. Marie-Claude a mal à la tête.
2. Jean-Pierre a mal au dos.
3. Laura a mal au nez.
4. Léopold a mal à la jambe.
5. Monsieur Toubib a mal au bras.

Drôles de gens

F

À vous maintenant!
Regardez les photos. Dites ce qui ne va pas.
Exemple: 1. J'ai mal à la tête.

1

2

3

4

5

6

G

Ces médicaments sont pour quelle partie du corps?

Lisez les vignettes et faites votre liste.

Aide-Mémoire

chez le médecin *at the doctor's*
un médecin *a doctor*
un(e) malade *a patient*
avoir mal *to be ill, to have a pain*
j'ai mal . . . *I'm ill, I have a pain . . .*
j'ai chaud *I'm hot*
j'ai froid *I'm cold*
j'ai peur *I'm afraid*
j'ai faim *I'm hungry*
j'ai soif *I'm thirsty*

je bâille *I yawn*
j'ai le hoquet *I hiccup*
j'ai la chair de poule *I have goosepimples*
j'éternue *I sneeze*
j'inspire *I breathe in*
j'expire *I breathe out*
j'avale de l'air *I swallow some air*

H Le jeu de la visite médicale

Jouez à deux ou plus.
Faites le malade. Collez des étiquettes sur votre corps, mais pas au bon endroit.
Votre partenaire doit remettre les étiquettes au bon endroit.

Exemple: Quand tu dis: 'J'ai mal à la tête', ton partenaire doit remettre 'tête' au bon endroit.

❙ *Bricolage*

1. Découpez vingt cartes.
2. Sur dix cartes, écrivez les parties du corps en français.
3. Sur les dix autres cartes, écrivez l'équivalent en anglais.
4. Mettez toutes les cartes sur la table.
5. Piochez deux cartes à la fois.
6. Si vous avez la même carte en anglais et en français, gardez vos cartes et dit ce que vous avez (*exemple:* J'ai la tête).
7. Si vous n'avez pas la même carte en anglais et en français, remettez les cartes sur la table et piochez deux autres cartes.

Bonne chance!

Flash-Grammaire

Where does it hurt?
When you are saying where a particular pain is, you need to use the phrase
J'ai mal . . . au + masculine words (**le**)
 . . . à la + feminine words (**la**)
 . . . aux + plural words (**les**)

e.g. J'ai mal **au** pied
 J'ai mal **à la** tête
 J'ai mal **aux** dents

For words starting with a vowel, use **J'ai mal à l' . . .**

Exercice
À vous maintenant!
Remplissez les trous avec **au/à la/à l'/aux**.

1. J'ai mal . . . bouche.
2. Nous avons mal . . . pieds.
3. Monsieur Leblanc a mal . . . dos.
4. Madame Duval a mal . . . oreille.
5. Tu as mal . . . ventre?
6. J'ai mal . . . épaules.

N'écrivez pas sur cette page

J *Dossier Santé*

Comment comprendre son corps.
Lisez les quatre petites choses bizarres de votre corps et trouvez l'équivalent en anglais. Consultez votre 'dico' ou demandez à votre professeur.

QUATRE PETITES CHOSES BIZARRES DE TON CORPS

Tu es fatigué? Tu as faim?
Ton corps a besoin d'énergie.
Il peut en trouver dans l'oxygène de l'air.
Tu inspires fortement puis expires pour renouveler l'oxygène dans tes poumons.
Tu bâilles.

Quand tu avales
quelque chose trop vite,
ou qui est trop froid ou trop chaud,
le muscle qui se trouve
à la hauteur de tes côtes est énervé.
Il se contracte et se soulève.
Il provoque un petit bruit.
Tu as le hoquet.

K *Histoires rigolottes*

1 Lisez l'aventure de Farida, Gilles et Yann.
Quels conseils donnent-ils contre le hoquet?

Ton nez est irrité par des microbes
ou de la poussière.
Ensuite, tes muscles provoquent une
véritable explosion à 150 kilomètres à
l'heure!
Tu éternues.

Quand tu as froid, tes poils
se redressent et tirent sur ta peau
Tu as la chair de poule.

Drôles de gens

2 À vous maintenant!
Donnez des conseils à vos camarades contre le hoquet.
1. Il faut compter jusqu'à vingt.

2. Il faut boire un grand verre d'eau.

3. Il faut pincer ton nez.

4. Il faut plier les jambes.

5. Il faut mettre la tête à l'envers.

Et vous?
Pensez-vous que ce sont de bons conseils?
Avez-vous des petits trucs contre le hoquet?
Dites-les à vos camarades.
Commencez par: Il faut . . .

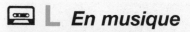 **L** *En musique*

Apprenons les parties du corps en chantant le 'Boogy-Boogy'.
Écoutez la chanson, chantez-la et faites les exercices.

Je lève le bras droit,
Je baisse le bras droit,
Lève, baisse,
Lève, baisse,
Tourne et tourne et tourne,
Je fais le boogy-boogy,
Je m'en vais plus loin,
Et puis je recommence. Oi!

Ooh, le boogy-boogy-boogy!
Ooh, le boogy-boogy-boogy!
Ooh, le boogy-boogy-boogy!
Je m'en vais plus loin!

Je lève le bras gauche, etc.

À vous maintenant!
Trouvez la chanson 'Knees and toes' et créez votre chanson 'Genoux et orteils.'

*info*CULTURE

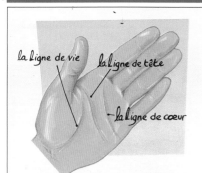

Vos mains ont un langage. Le saviez-vous?

Les lignes de votre main ont un sens. Il y a trois lignes principales:

1. *La ligne de vie*
Une ligne courte – vous êtes dynamique.
Une ligne longue – vous êtes plus modéré(e).

2. *La ligne de cœur*
Si votre ligne est longue, – vous êtes passionné(e).
Si elle est courte, vous êtes solitaire.

3. *La ligne de tête*
On lit cette ligne de l'index vers le petit doigt.
Si votre ligne est courte et droite, vous êtes intelligent(e).
Si votre ligne est longue et pas très droite, vous êtes rêveur/rêveuse.

Voilà les mots clés.
C'est quoi en anglais?

ligne longue
ligne courte
ligne droite
dynamique

rêveur/rêveuse
modéré(e)
passionné(e)
solitaire
intelligent(e)
un tourbillon
rond
allongé
un pont

Regardez aussi les bouts des doigts.

1. Votre doigt forme un tourbillon rond: vous êtes autoritaire.
2. Votre doigt forme un tourbillon allongé: vous êtes indépendant(e).
3. Votre doigt forme comme un pont: vous êtes plutôt solitaire.

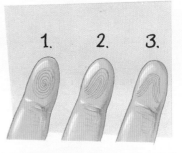

Regardez vos cinq doigts: Combien de tourbillons et de petits ponts avez-vous?

À vous maintenant!
Lisez les mains de vos camarades.
Et vous, croyez-vous aux lignes de la main – oui ou non?

Moi, j'y crois

Moi, pas du tout. Ce sont des bêtises …

📼 M *Bonjour, Docteur Bobos . . .*

Écoutez et lisez les remèdes du Docteur Bobos.

Et vous? Avez-vous un Docteur Bobos?
Trouvez-vous que ces remèdes sont de bons remèdes?
Si vous êtes d'accord, cochez la case (✔)
Si vous êtes contre ces remèdes, mettez une croix (✗).

Remèdes	✔	✗
1.		
2.		
3.		

N'écrivez pas sur cette grille

Testez votre mémoire

1 Travaillez tout(e) seul(e).
Étudiez les parties du corps (page 7) pendant deux minutes.
Fermez votre livre.
Dessinez le corps humain.
Écrivez le nom de chaque partie du corps.
Avez-vous une bonne mémoire?
Combien de mots avez-vous trouvés?

2 Travaillez avec un(e) partenaire.
Regardez le dessin de votre camarade. Combien de mots avez-vous trouvés ensemble?

Avez-vous lu . . . ?

Le nez de Véronique

À sa naissance Véronique avait un gros nez, un très gros nez, un nez énorme! Ses parents étaient tristes mais Véronique, elle, était heureuse.

Quand leur fille est née le malheur s'est installé sur les époux Lesueur. Souvent, ils regardaient le berceau de Véronique.

«Nous avons une petite maison . . .»

«Un petit jardin . . .»

«Un petit chien nommé Médor . . .»

«Une petite voiture . . .»

«Une petite télévision . . .»

«Tout, dans notre vie, est si petit . . .»

«Alors pourquoi?»

«Oui, pourquoi notre petite fille a-t-elle un si gros nez?»

Véronique était blonde et souriait toujours mais enfin, c'est vrai, son nez était très gros.

La lecture est une chose très importante.

Lisez-vous souvent?

À l'école, à la maison?

Lisez le résumé du livre *Le nez de Véronique*.

De quoi s'agit-il?

Qu'arrive-t-il à Véronique?

Voici trois fins. Choisissez une fin.

1 Véronique a une opération du nez et elle n'est pas heureuse.

2 Elle a un petit garçon avec de grandes oreilles.

3 Elle habite dans une grande maison avec un grand jardin. Elle a un grand chien, une grande voiture, et une grande télévision.

Drôles de gens

POUR VOUS AIDER

Objectifs

Décrire et comprendre les parties du corps *To describe and understand the parts of the body*
Décrire et comprendre un état (avoir mal quelque part) *To describe and understand a state (to have a pain somewhere)*

de la page 6 à la page 8

Drôles de gens *Funny people*
Apprenez les mots des différentes parties du corps *Learn the words for the different parts of the body*
Il vous faut . . . *You need* . . .
. . . chercher vos stars préférées . . . *to look for your favourite stars*
. . . découper la tête d'une star, le bras d'une autre . . . *to cut out the head of one star, the arm of another*
. . . coller chaque partie du corps . . . *to stick together each part of the body*
Échangez . . . *Swap* . . .
Qui a été éliminé(e) le premier *Who was the first to be knocked out?*
Où ont-ils mal? *Where do they feel a pain?*

de la page 9 à la page 12

Un médecin bien occupé *A very busy doctor*
Dites ce qui ne va pas *Say what's wrong*
Ces médicaments sont pour quelle partie du corps? *Which parts of the body are these medications for?*
Jouez à deux ou plus *Play with two or more people*
Faites le malade *Pretend to be ill*
Collez des étiquettes . . . *Stick some labels* . . .
. . . pas au bon endroit . . . *not in the right place*
Remettre au bon endroit *Put in the right place*

de la page 12 à la page 14

Piochez deux cartes *Take two cards*
Dossier Santé *Health File*
Trouvez l'équivalent en anglais *Find the English equivalent*
Consultez votre 'dico' *Consult your dictionary*
Histoires rigolottes *Funny stories*
Quels conseils donnent-ils contre le hoquet? *What advice do they give for the hiccups?*
Apprenons les parties du corps en chantant le 'Boogy-Boogy' *Let's learn the parts of the body by singing the Boogy-Boogy*

de la page 15 à la page 16

Les lignes de votre main ont un sens *The lines of your hand have a meaning*
Voilà les mots clés *Here are the key words*
Regardez les bouts des doigts *Look at your fingertips*
Combien de tourbillons et de petits ponts avez-vous? *How many swirls and little bridges do you have?*
Étudiez les parties du corps pendant deux minutes *Study the parts of the body for two minutes*
Dessinez le corps humain *Draw the human body*

QU'EST-CE QU'IL DIT?
Pour le savoir, trouve quelle lettre est remplacée par les points rouges.
P.P. J.'i.M.L. L. L.NGUE!.«
R: C'est le A. (Papa, j'ai mal à la langue).

MODULE 2 *À quoi ressemblons-nous?*

Objectifs

Décrire et comprendre le physique de quelqu'un.

Comparer une personne à une autre.

Comparer une chose à une autre.

A Comment sont-ils?

Écoutez la cassette et choisissez la bonne caricature.

Moi, je suis petite, j'ai les cheveux noirs et les yeux marron.

Je suis grande, j'ai les cheveux roux et les yeux verts.

Eh bien moi, je suis grand. J'ai les cheveux blonds et les yeux bleus.

a   b   c

A quoi ressemblons-nous?

> Moi, je suis moyen. J'ai les cheveux bruns et j'ai les yeux noirs. Je porte des lunettes.

d

> Je suis assez grand, je porte une moustache et j'ai les yeux gris.

e

B

Parlez.
Travaillez avec un(e) partenaire.

Martine

A

Alexandre

B

Hélène

C

Gilles

D

Aurore

E

Frédéric

F

Choisissez une carte: A, B, C, D, E ou F.
Décrivez-vous. Votre partenaire devine qui vous êtes.
Utilisez les expressions ci-dessous pour vous aider:

Je suis petit(e)
Je suis de taille moyenne
Je suis grand(e)
J'ai les cheveux noirs
J'ai les cheveux blonds
J'ai les cheveux bruns
J'ai les cheveux roux
J'ai les yeux marron
J'ai les yeux bleus
J'ai les yeux noirs
J'ai les yeux verts

🖭 C *Les nouveaux voisins de Beverley Hills*

1 Qu'entendez-vous? Que voyez-vous?

Madame Deschamps est malade. Elle est au lit. Monsieur Deschamps décrit les voisins.

Écoutez et regardez le dessin.

Dites si ce que Monsieur Deschamps dit à sa femme est Vrai ou Faux.

Voisin numéro 1 Vrai/Faux	Voisin numéro 4 Vrai/Faux	
Voisin numéro 2 Vrai/Faux	Voisin numéro 5 Vrai/Faux	
Voisin numéro 3 Vrai/Faux	Voisin numéro 6 Vrai/Faux	

N'écrivez pas sur cette page

2 À vous maintenant!

Décrivez vos voisins.

D Qui est-ce?

Parlez.
Regardez les photos.
Votre camarade vous pose les
questions suivantes pour
trouver le nom de la
personne.

Exemple:

1. C'est une fille ou un
   garçon?
   Vous répondez: C'est une
   fille.
2. Elle porte des lunettes?
   Vous: Non.
3. Elle est blonde?
   Vous: Oui.
4. C'est Claire?
   Vous: Bravo! C'est Claire.

Claire

François

Stéphanie

Ludovic   **Géraldine**   **Arnaud**

E À quoi ressemblons-nous?

Parlez. Écrivez.
Prenez la place de ces
personnes et décrivez-vous.
Regardez le modèle:

Je suis grand(e), j'ai les
cheveux blonds et les yeux
noirs.

Testez votre mémoire

Avez-vous une bonne mémoire?
Regardez les photos ci-dessus, cachez-les et répondez aux
questions de votre partenaire.
N'oubliez pas de cacher les photos!
Partenaire A   De quelle couleur sont les cheveux de
François?
Partenaire B   Ils sont bruns.

Posez les questions suivantes.

1. De quelle couleur sont les cheveux de . . . ?
2. De quelle couleur sont les yeux de . . . ?
3. Il/Elle est grand(e), petit(e)? (Devinez!)

Flash-Grammaire

Adjectives – a reminder!
Adjectives are words that describe things or people. In French they have to have special endings according to the type of word they describe (i.e. masculine, feminine or plural). Here are the basic rules to remember:

For feminine words, add an **e** to the adjective. For example:
Regardez la fille!
Elle est très petit**e**.

For plural words, add an **s**. For example:
Regardez ces garçons!
Ils sont assez petit**s**.

If the word is both feminine and plural, add **es**. For example:
Regardez ces filles!
Elles sont petit**es**.

When you are describing someone's hair or eye colour in French, you need to use the plural form of the adjective. For example:
Elle a les yeux bleu**s** et les cheveux blond**s**.

Remember that **marron** is a special adjective which doesn't change. For example:
J'ai les cheveux marron.

Très, assez
These two words are *very* useful – you'll use them *quite* often! If you want to use these words to adapt the adjective you are using, remember that they must always come directly in front of the adjective. For example:
Elle est **assez** mince avec les yeux **très** verts.

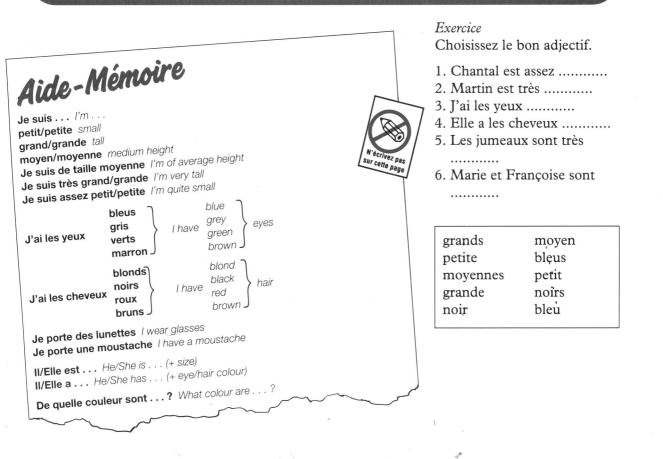

Aide-Mémoire

Je suis . . . *I'm . . .*
petit/petite *small*
grand/grande *tall*
moyen/moyenne *medium height*
Je suis de taille moyenne *I'm of average height*
Je suis très grand/grande *I'm very tall*
Je suis assez petit/petite *I'm quite small*

J'ai les yeux
bleus
gris
verts
marron
I have blue / grey / green / brown *eyes*

J'ai les cheveux
blonds
noirs
roux
bruns
I have blond / black / red / brown *hair*

Je porte des lunettes *I wear glasses*
Je porte une moustache *I have a moustache*

Il/Elle est . . . *He/She is . . . (+ size)*
Il/Elle a . . . *He/She has . . . (+ eye/hair colour)*

De quelle couleur sont . . . ? *What colour are . . . ?*

Exercice
Choisissez le bon adjectif.

1. Chantal est assez ....
2. Martin est très ....
3. J'ai les yeux ....
4. Elle a les cheveux ....
5. Les jumeaux sont très

   ....
6. Marie et Françoise sont

   ....

N'écrivez pas sur cette page

grands	moyen
petite	bleus
moyennes	petit
grande	noirs
noir	bleu

 F *Combien tu mesures? Combien pèses-tu?*

Écoutez la cassette.
Que disent-ils?
Trouvez le bon dessin.

1. Moi, je mesure 1m 50 et je pèse 45 kilos.

2. Moi, je mesure 1m 65 et je pèse 55 kilos.

3. Moi, je mesure 1m 65 et je pèse 145 kilos.

4. Nous mesurons 1m 75 et nous pesons 72 kilos.

5. Je mesure 2 mètres dix et je pèse soixante-dix-sept kilos.

G

À vous maintenant!
Parlez.
1 Travaillez avec un(e) partenaire.

A

Nom: Yannick Noah
Né le: 18 mai
Poids: 85 kilos
Taille: 1m 93
Résidence: Paris
   Droitier.

B

Nom: Tim Chang
Né le: 22 février
Poids: 60 kilos
Taille: 1m 73
Résidence: New York
   Droitier.

C

Nom: Émilio Sanchez
Né le: 29 mai
Poids: 70 kilos
Taille: 1m 79
Résidence: Espagne
   Droitier.

D

Nom: Mélody Proust
Née le: 10 juillet
Poids: 50 kilos
Taille: 1m 75
Résidence: Lyon
   Droitière.

E

Nom: Pilar Gonzales
Née le: 10 janvier
Poids: 48 kilos
Taille: 1m 65
Résidence: Madrid
   Gauchère.

F

Nom: Marina Pujol
Née le: 25 décembre
Poids: 60 kilos
Taille: 1m 78
Résidence: Floride
   Droitière.

Partenaire A Choisissez une carte (A, B, C, D, etc.) et donnez votre profil.

Partenaire B Regardez les six images et devinez qui est votre partenaire.

2 À vous maintenant: Donnez votre profil 'Sport'.

H

Écoutez. Regardez les illustrations.
Complétez les phrases avec la bonne taille et le bon poids.

ma photo

*Nom:*_____
*Né(e) le:*_____
*Poids:*_____
*Taille:*_____
*Résidence:*_____
   Droitier/Droitière
   Gaucher/Gauchère

N'écrivez pas sur cette grille

1.

2.

3.

4.

Je mesure... Je pèse...

A quoi ressemblons-nous?

I On bat tous les records!

Le saviez-vous?

1. L'homme le plus grand en Grande Bretagne s'appelait Arthur Caley. Il mesurait 2 m 54.
2. La plus grande femme s'appelle Sandy Allen. Elle est née le 18 juin à Chicago. Elle mesure 2 m 31 et pèse 209 kilos.
3. Les plus grands jumeaux s'appellent Andrew et Timothy. Ils sont nés le 24 octobre. Un mesure 2 m 06, et l'autre 2 m 09.
4. Le plus petit homme mesure 68 centimètres et pèse 17 kilos.

À vous maintenant!
Faites des recherches.
Regardez votre livre des records et trouvez d'autres records.

J Qui est qui?

Lisez et trouvez.
Donnez un nom à chaque silhouette.

1. Pierre est plus petit que Maxime.
2. Julie est plus grande que Paulette.
3. Alexandre est plus gros que Sébastien.
4. Michèle est plus mince que Vanessa.
5. Les jumeaux Philippe et Damien sont plus petits que les jumelles Alexandra et Maximilia.

K À chacun sa mesure!

Faites des recherches géographiques.
Combien mesure . . . ?

Le Mont Blanc . . .

La Tour Eiffel . . .

La France . . .

La Grande-Bretagne . . .

Moi . . .

Exercice

Regardez les dessins et faites des comparaisons!

Exemple: 1. Un éléphant est plus grand qu'une souris!

Flash-Grammaire

Making comparisons

If you want to compare one thing with another, you will need to use comparative expressions such as:

> plus grand que . . . *bigger than . . .*
> plus petit que . . . *smaller than . . .*
> aussi petit que . . . *as small as . . .*

Most comparatives in French are formed by putting **plus . . . que**, **moins . . . que** or **aussi . . . que** around the adjective. For example:

> plus long que . . . *longer than . . .*
> moins cher que . . . *cheaper than . . .*
> aussi grand que . . . *as big as . . .*

Remember!
In French, all adjectives have to agree with the word they describe.

L *Un peu de culture*

Lisez les questions, faites des recherches et répondez. Travaillez en groupe, à deux ou seul(e).

1. La France est plus petite ou plus grande que le Pays de Galles?
2. Le Mont Blanc est plus haut que le Mont Saint-Michel?
3. Quelles sont les trois plus grandes régions de montagnes de France? (Écrivez les noms sur la carte. Copiez la carte dans votre cahier.)

À vous maintenant!
Faites un quiz.
N'oubliez pas de dire: plus grand(e) que . . .
                               plus petit(e) que . . .
Exemple: Snowdon est plus haut que Ben Nevis?

Coin lecture

Lisez 'Mylène Farmer' et répondez par Vrai ou Faux.

1. Elle mesure 1,57 m.
2. Elle est née au Canada.
3. Elle aime la lecture et le dessin.
4. Son animal préféré, c'est le lion.
5. Elle a un frère et deux sœurs.

À vous maintenant!
Écrivez un petit article sur votre vedette préférée. Envoyez votre article à son fan-club, ou mettez votre article dans le journal de votre collège. Si vous n'avez pas de journal au collège, il est grand temps d'en commencer un!

1,67 m de talent!

Bonjour Jean,
Tu serais sympa de me donner la date de naissance de Mylène Farmer, ainsi que sa taille, son animal préféré et son passe-temps préféré. A-t-elle des frères et des sœurs? Merci.
Jules.

Mylène Farmer mesure 1,67 m. Elle est née le 12 septembre 1961 à Montréal au Canada. Son animal préféré, c'est le singe. Elle aime la lecture et aussi le dessin. Elle a une sœur et deux frères. Voilà – j'espère que tu es satisfait!

M *Faits divers*

De quoi s'agit-il?

A

280 KILOS À PERDRE !

L'homme le plus gros du monde a décidé de maigrir ! Cela fait dix-sept ans que l'Américain Walter Hudson (365 kilos) est immobilisé chez lui, car ses jambes ne peuvent pas le porter ! Son régime lui a déjà fait perdre 90 kilos en quatre mois. Il voudrait arriver à peser 85 kilos, ce qui lui prendra trois ans de traitement dans une clinique spécialisée.

1. Pourquoi Walter Hudson a-t-il décidé de maigrir?
2. Il voudrait arriver à peser combien de kilos?

B

PETIT HOMME

Il est le plus petit homme du monde et il figure dans le Livre des records le plus récent. Il mesure cinquante-huit centimètres et des poussières, et il pèse dix-sept kilos.
Il compte déjà trente-trois étés.
Il s'appelle Gul-Mohammed.

1. Combien mesure le plus petit homme?
2. Combien pèse-t-il?
3. Quel est son nom?

C

1. Quel est le diamètre de la plus grosse bulle de chewing-gum?
2. Quelle est la taille de la plus grosse épluchure de pomme?

Nom : VOISINE
Prénom ; ROCH
Date/Lieu de Naissance : 26 Mars 63 à Edmundston (Nv. Brunswick)
Taille : 1,85 m
Poids : 82 kg
Yeux : Marrons
Cheveux : Bruns et raides
Signe astrologique : Bélier
Situation familiale : Célibataire, 1 frère, 1 sœur.

Nom : BRUEL
Prénom : PATRICK
Date/Lieu de Naissance : 14 Mai 59 à Tlemcen (Algérie)
Taille : 1,81 m
Poids : 76 kg
Yeux : Noisette
Cheveux : Bruns bouclés
Signe astrologique : Taureau
Situation familiale : Célibataire. 2 demi-frères.

N

1 Lisez les fiches artistes et donnez au moins cinq détails sur chaque fiche.

A quoi ressemblons-nous?

2 Remplissez votre fiche.

| Nom: |
| Prénom: |
| Date/Lieu de naissance: |
| Taille: |
| Poids: |
| Yeux: |
| Cheveux: |
| Signe astrologique: |
| Situation familiale: |
| Collez votre photo |

3 À vous maintenant!
Choisissez votre vedette préférée et donnez son profil: sa taille, son poids, sa date de naissance et d'autres petits secrets . . .

O

Lisez.
Quel est le problème?

P

Et vous? Êtes-vous amoureux/se?
Quel est votre garçon ou quelle est votre fille
idéal(e)?

1 Lisez le questionnaire 'Le coup de foudre
par ordinateur' et découvrez votre idéal . . .

Cochez les cases qui correspondent à vos
préférences.

Le coup de foudre

QUESTIONNAIRE

Tu préfères les garçons:
grands   ❑
petits   ❑
moyens   ❑

Tu préfères les filles:
grandes   ❑
petites   ❑
moyennes ❑

Pour les yeux tes couleurs
préférées sont:
les yeux bleus   ❑
les yeux marron ❑
les yeux verts   ❑
les yeux noirs   ❑

Le caractère:
sympa   ❑
romantique ❑
timide   ❑

Tu préfères les cheveux:
noirs   ❑
blonds   ❑
roux   ❑
bruns   ❑
châtain ❑

Aide-Mémoire

le poids *weight*
la taille *height*
Je pèse . . . kilos *I weigh . . . kilos*
Je mesure . . . mètres *I am . . . metres tall (**lit.** I measure)*
Nous pesons . . . *We weigh . . .*
Nous mesurons . . . *We are . . . tall*

le plus grand/petit
la plus grande/petite
les plus grands/petits   } *the tallest/smallest*
les plus grandes/petites
plus petit(e) que . . . *smaller than . . .*
plus grand(e) que . . . *taller than . . .*
plus gros(se) que . . . *fatter than . . .*
plus mince que . . . *thinner than . . .*

le fard *make-up*
le rouge à lèvres *lipstick*
le fond de teint *foundation*
souligner *to underline*
appliquer *to apply*
dessiner *to draw*

N'écrivez pas sur cette page

Regardez le questionnaire. Faites trois ou
quatre phrases pour décrire votre choix.

Exemple: Mon garçon idéal est grand et blond.
Il a les yeux bleus et il est sympa.
Ma fille idéale est petite. Elle a les cheveux
roux et les yeux verts.

2 Sondage.
En classe, écrivez une liste des choses que vous
aimez chez un garçon ou une fille et une liste
des choses que vous n'aimez pas.

Exemple: Moi, j'aime les yeux bleus, mais je
n'aime pas les cheveux noirs.

Puis demandez à vos camarades ce qu'ils
aiment ou n'aiment pas.
Affichez votre sondage au mur.

A quoi ressemblons-nous?

Q *Un peu d'imagination*

Maquillage . . . masques.

Savez-vous vous maquiller?

Choisissez vos couleurs: noir, blanc, rouge, gris.

Commencez par les yeux.

Appliquez des couleurs sur vos paupières et sourcils.

Tracez des couleurs autour de votre nez et de votre bouche.

C'est facile! Essayez . . .

Regardez ces masques et suivez les conseils.

Couleurs : blanc, rouge, noir.
• Appliquer le fard blanc. Tracer les flammes blanches au pinceau.
• Dessiner les flammes rouges (fard rouge liquide) avec un pinceau. Appliquer le même rouge sur les paupières, juste au-dessus des sourcils.
• Souligner les yeux au crayon noir, ou mieux avec du fard liquide et un pinceau.
• Dessiner au crayon noir, ou mieux au fard liquide noir, les sourcils, puis le serpent sur l'arête du nez, enfin la bouche.

Le samouraï

Le cl

Couleurs : blanc, rouge, noir.
• Appliquer le fond de teint blanc sur tout le visage.
• Cercler les yeux en noir avec un pinceau. Appuyer sur le pinceau pour obtenir un trait plus épais à l'endroit des faux sourcils. (Mieux vaut faire dessiner les traits noirs par quelqu'un d'autre, afin de pouvoir fermer les yeux pendant cette délicate opération !).
• Tracer légèrement en rouge les contours du nez et de la bouche. Remplir ensuite de rouge.

Les pyramides

Couleurs : jaune, bleu vif, gris foncé, blanc, noir.
• Etendre le fond de teint jaune à l'éponge, jusqu'au niveau du nez, puis le bleu sur la partie supérieure du visage.
• Dessiner au pinceau la silhouette des pyramides en gris foncé. Etendre le gris sur les faces claires, le noir sur les faces à l'ombre.
• Terminer par une touche de blanc à la base des pyramides.
• Facultatif : ajouter palmiers verts et oiseaux à votre goût.

Testez votre mémoire

Art-info

Mémorisez le plus de détails possible.

1. Voici deux tableaux. Trouvez les titres.
2. Regardez ces tableaux pendant quinze secondes. Cachez les images et dites à votre camarade ce que vous avez retenu.

Exemple: 1. Elle est brune . . .

3. Trouvez le nom de chaque peintre.
4. Selon vous, quelle couleur doit dominer dans chaque tableau?

a bleu   d vert
b rouge   e orange
c noir   f jaune

Histoires rigolottes

A quoi ressemblons-nous?

Coin lecture

1 Lisez *Son meilleur ami* de Romain Gary et répondez aux questions.

Son meilleur ami

Le plus grand ami que j'avais à l'époque était un parapluie nommé Arthur que j'ai habillé des pieds à la tête. Je lui avais fait une tête avec un chiffon vert que j'ai roulé en boule autour du manche et un visage sympa, avec un sourire et des yeux ronds, avec le rouge à lèvres de Madame Rosa.

La Vie devant soi, Romain Gary/Émile Ajar (Mercure de France)

1. Qui est Arthur?
2. Décrivez-le.

2 À vous maintenant!
Décrivez votre meilleur ami.
Avez-vous un ami qui ressemble à Arthur?

*info*CULTURE

Le saviez-vous?

Les Anglais et les Français n'ont pas le même système de mesures.
En Grande-Bretagne, il y a deux systèmes - le système métrique et le système impérial:

inches, feet, miles, ounces, pounds, stones, pints, gallons, etc.

En France il y a le système métrique:

centimètres, mètres, kilomètres, grammes, kilogrammes, litres, etc.

Quelle est la différence entre les deux systèmes? Regardez!

POUR VOUS AIDER

Objectifs

Décrire et comprendre le physique de quelqu'un
To describe and understand someone's physical appearance
Comparer une personne à une autre *To compare one person to another*
Comparer une chose à une autre *To compare one thing to another*

de la page 19 à la page 22

À quoi ressemblons-nous? *What do we look like?*
Choisissez une carte *Choose a card*
Décrivez-vous *Describe yourself*
Votre partenaire devine qui vous êtes *Your partner has to guess who you are*
Les nouveaux voisins *The new neighbours*
Qui est-ce? *Who is it?*
N'oubliez pas de cacher les photos! *Don't forget to hide the photos*
Prenez la place de ces personnes et décrivez-vous *Take the place of these people and describe yourself*

de la page 24 à la page 26

Trouvez le bon dessin *Find the right picture*
Complétez les phrases avec la bonne taille et le bon poids *Complete the sentences with the right weight and height*
On bat tous les records! *Record-breakers!*
Le saviez-vous? *Did you know?*
Faites des recherches *Do some research*
Donnez un nom à chaque silhouette *Give a name to each silhouette*

de la page 28 à la page 31

Coin lecture *Reading corner*
Écrivez un article sur votre vedette préférée *Write an article about your favourite star*
Si vous n'avez pas de journal, il est grand temps d'en commencer un! *If you don't have a paper, it's high time you started one!*
De quoi s'agit-il? *What's it all about?*
Êtes-vous amoureux/se? *Are you in love?*
Le coup de foudre *Love at first sight*

de la page 32 à la page 34

Maquillage . . . masques *Make-up . . . masks*
Savez-vous vous maquiller? *Do you know how to make yourself up?*
Choisissez vos couleurs . . . *Choose your colours . . .*
Appliquez des couleurs . . . *Apply some colour . . .*
Tracez des couleurs autour de . . . *Trace some colour around . .*
Dites à votre camarade ce que vous avez retenu *Tell your friend what you can remember*
Selon vous, quelle couleur doit dominer dans chaque tableau? *In your opinion, which is the dominant colour in each picture?*
Avez-vous un ami qui ressemble à Arthur? *Do you have a friend who looks like Arthur?*

C'EST TON PROFIL

Coche ce que tu as appris.

Maintenant je peux . . .

Si tu es prêt(e), tu coches ✓

Si tu ne peux pas, mets une croix X et révise la page . . .

	bien ☺	moyen 😐	pas très bien ☹	
dire et comprendre les mots des parties du corps (la tête, le nez, les yeux, etc.)	☐	☐	☐	7
dire et comprendre: J'ai mal à la tête/J'ai mal au bras/Elle a mal aux genoux, etc.	☐	☐	☐	12
dire et comprendre: J'ai le hoquet/J'ai la chair de poule, etc.	☐	☐	☐	13-14
donner des conseils et dire: Il faut compter jusqu'à vingt/boire un verre d'eau, etc.	☐	☐	☐	14
dire et comprendre: J'ai les yeux bleus/ J'ai les cheveux blonds/ Je suis grand(e), petit(e), moyen(ne), etc.	☐	☐	☐	20
demander à quelqu'un: De quelle couleur sont tes yeux/tes cheveux?	☐	☐	☐	23
dire et comprendre: Je pèse . . .+ ma taille/Je mesure . . .+ mon poids	☐	☐	☐	24
dire et comprendre: Je suis plus petit(e) que . . ., plus grand(e) que . . .	☐	☐	☐	27
demander à quelqu'un: Tu pèses combien?/Tu mesures combien?	☐	☐	☐	31
décrire mon ami(e), ma famille ou mon professeur	☐	☐	☐	

N'écrivez pas sur cette page

MODULE 3 *Mon train-train quotidien*

Objectifs

Parler de ses activités quotidiennes et les comprendre.

Comprendre les activités des autres.

Demander et dire quand on fait quelque chose.

Parler du décalage horaire et le comprendre.

A *Une journée typique*

Écoutez bien. Rémy et Élisabeth vous parlent de leur journée.

| Je me lève à sept heures | Je vais dans la salle de bains | Je me lave | Je m'habille |
| Au petit déjeuner, je prends des céréales | Je prépare mon cartable | Je quitte la maison vers huit heures | J'arrive au collège à huit heures et demie |

Mon train-train quotidien

| Les cours commencent à neuf heures | Je déjeune à midi et demi | Le collège finit à quatre heures | Je rentre à la maison |
| Je fais mes devoirs | Je regarde la télé | Je dîne | Je me couche à dix heures du soir |

B

Écoutez.
Vous allez entendre dix phrases se rapportant aux dix illustrations.
Faites correspondre les phrases aux illustrations.
Inscrivez la lettre de l'illustration dans la grille.

Exemple:

1	2	3	4	5	6	7	8	9	10
c									

N'écrivez pas sur cette grille

c

a

b

d

e

f

g

h

i

j

▣ C *On fait le tour du monde*

1 Écoutez maintenant ces cinq jeunes personnes qui vous parlent d'une journée typique.
Écoutez-les et identifiez-les.
Choisissez la bonne lettre.
Remplissez la grille.

1	2	3	4	5

N'écrivez pas sur cette grille

C   Il est né à Tel Aviv et il est 'Sabra'. Il vous parle de sa journée.

A   Il est né aux États-Unis, mais il est russe. Il a quatorze ans. Voici sa journée.

B   Elle est née en France, mais elle va souvent au Cameroun. Voici le programme de sa journée.

D   Elle vient de Manille dans les Philippines et elle a quatorze ans. Elle parle l'espagnol, l'anglais et le français. Voici sa journée.

2 Écoutez-les encore une fois.
Quelles différences remarquez-vous avec votre journée typique?
Notez les différences dans votre cahier.

Personne 1	
Personne 2	
Personne 3	
Personne 4	
Personne 5	

N'écrivez pas sur cette grille

E Elle est née à Sphax en Tunisie et elle a treize ans. Voici sa journée.

D

Écoutez, répondez aux questions puis écrivez.
Regardez les bulles pour vous aider.
Choisissez la bulle qui correspond le mieux à chaque question.

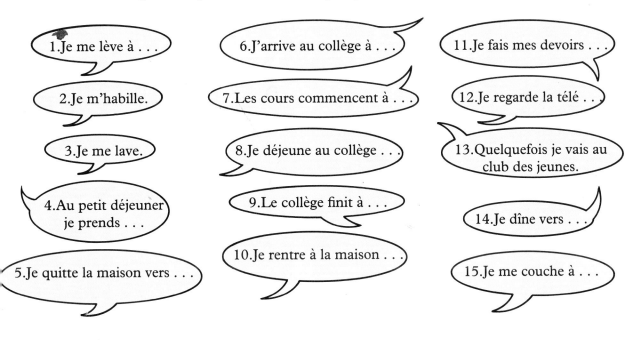

1. Je me lève à . . .
2. Je m'habille.
3. Je me lave.
4. Au petit déjeuner je prends . . .
5. Je quitte la maison vers . . .
6. J'arrive au collège à . . .
7. Les cours commencent à . . .
8. Je déjeune au collège . . .
9. Le collège finit à . . .
10. Je rentre à la maison . . .
11. Je fais mes devoirs . . .
12. Je regarde la télé . . .
13. Quelquefois je vais au club des jeunes.
14. Je dîne vers . . .
15. Je me couche à . . .

Flash-Grammaire

More about verbs!
When talking about your daily routine you have to use some special verbs.
Do you notice what is unusual about them?

Je **me** réveille à sept heures.
Tu **te** lèves à quelle heure?
Il **s'**habille.
Je **me** lave dans la salle de bains.
Elle **se** couche à dix heures.

Each phrase has an extra word in it which *reflects back* on the person involved: **me**, **te**, **se**.
These correspond to the words: *myself*, *yourself*, *himself/herself*.
In French, therefore, you have to wake *yourself* up, get *yourself* out of bed, dress *yourself*, put *yourself* to bed, and so on.
These verbs are called **reflexive verbs**.

Aide-Mémoire

Je me réveille *I wake up*
Je me lève *I get up*
Je me douche *I have a shower*
Je me lave *I get washed*
Je m'habille *I get dressed*
Je me couche *I go to bed*
Je vais dans la salle de bains *I go into the bathroom*
Au petit déjeuner je prends . . . *For breakfast I have . . .*
Je prépare mon cartable *I prepare my schoolbag*
Je quitte la maison *I leave the house*
Je vais à l'école à pied *I go to school on foot*
J'arrive au collège *I arrive at school*
Les cours commencent à . . . *Lessons start at . . .*
Je déjeune *I have lunch*
Le collège finit à . . . *School finishes at . . .*
Je rentre à la maison *I return home*
Je fais mes devoirs *I do my homework*
Je regarde la télé *I watch TV*
Je dîne *I have dinner*

Exercice 1
Quels sont les mots qui manquent?

1. Il . . . lève à onze heures.
2. Je . . . lave tout de suite.
3. . . . t'habilles dans ta chambre?
4. D'habitude elle . . . couche à neuf heures et demie.
5. . . . m'habille et puis je descends.

Exercice 2
La routine journalière
Parlez. Écrivez.
Regardez les dessins. Décrivez ce que chaque personne fait.

Exemple: 1. Il s'habille.

4.

5.

1.

2.

3.

6.

E *Une interview*

Parlez.

Interviewez deux ou trois camarades.

Posez ces questions. Notez les réponses dans votre cahier.

1. À quelle heure te lèves-tu?
2. Que prends-tu pour le petit déjeuner?
3. À quelle heure quittes-tu la maison?
4. Tes cours commencent à quelle heure?
5. Tu manges au collège ou chez toi?
6. À quelle heure finis-tu le collège?
7. Où fais-tu tes devoirs?
8. Tu regardes la télé?
9. À quelle heure te couches-tu?

F

Parlez.

Comparez votre journée avec celle de votre camarade.

Exemple: Moi, je me lève à sept heures; Peter se lève à sept heures et demie.

G *Pourquoi pas?*

Imaginez que pour une journée, vous faites partie de la
'Famille Royale'. Décrivez votre journée et illustrez-la!

*info*CULTURE

Le saviez-vous?
Commencez bien votre journée
avec un bon petit déjeuner.
Les enfants qui ne prennent
pas de bon petit déjeuner
avant d'aller au collège ont
envie de dormir.
Alors, suivez les conseils de
Spirale et partez du bon pied!

1. Tu te réveilles un quart
   d'heure plus tôt.

2. Tu prends une bonne
   douche.

3. Tu commences par un bon
   jus d'orange, des tartines,
   un thé ou du lait.

4. Tu peux aussi prendre un
   œuf, du bacon, un yaourt,
   des céréales, de la confiture
   d'orange.

5. Tu prends tout ton temps et
   surtout tu ne pars pas de la
   maison le ventre creux.

*C'est très important pour votre
croissance et votre travail
scolaire de bien manger le
matin.*

À vous maintenant!
Proposez des menus 'petit
déjeuner' pour vos ami(e)s et
vous.
Pour bien démarrer votre
journée, mangez bien!

ES-TU LE CHAMPION, LE RAMOLLO OU LE PICOREUR DU PETIT DÉJEUNER?

Tu préfères prendre ton petit déjeuner:
● Dans ta chambre, en grignotant.
■ En famille, dans la cuisine.
▲ Sur le chemin de l'école.

Il y a quelque chose de nouveau à manger:
■ Tu te précipites pour y goûter.
● Tu refuses toujours.
▲ Tu te méfies, tu goûtes du bout des lèvres.

Tu y passes:
■ Un bon quart d'heure.
● Une minute et demie.
▲ Le temps de manger en t'habillant.

Tu manges le matin:
■ Parce que c'est bon.
● Parce qu'on t'oblige.
■ Parce que tu as faim.

Ton menu préféré est:
▲ Un diabolo-menthe et une barre chocolatée.
■ Des cornflakes, une pomme et du lait.
● Seulement une boisson.

Prendre un petit déjeuner tous les jours, c'est:
■ Très important.
● Pas important.
▲ Moyennement important.

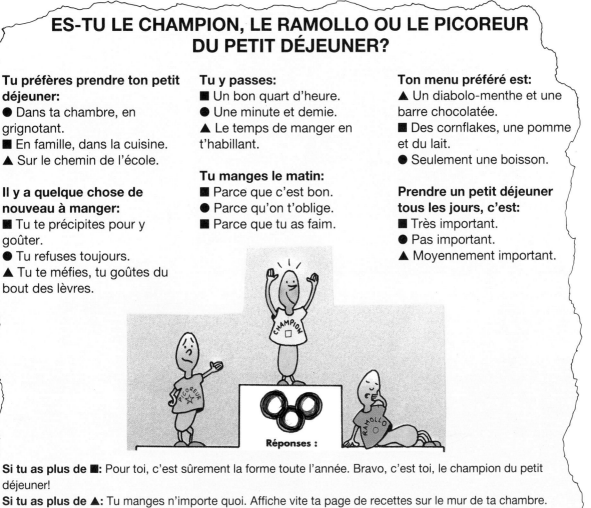

Réponses :

Si tu as plus de ■: Pour toi, c'est sûrement la forme toute l'année. Bravo, c'est toi, le champion du petit déjeuner!

Si tu as plus de ▲: Tu manges n'importe quoi. Affiche vite ta page de recettes sur le mur de ta chambre.

Si tu as plus de ●: Ne t'étonne plus si chaque matin ton nez tombe sur ton cahier . . . Tu manges trop peu le matin.

H *Un peu de géo*

Quelle heure est-il?
Regardez le tableau ci-dessous et répondez aux questions à la page 46.

-8	-5	-4	0	+1	+3	+8	+9
Los Angeles	New York		Londres	Paris			Tokyo
				Alger		Pékin	
		Venezuela			Moscou		

Mon train-train quotidien

1. Quand tu te lèves à sept heures à Londres, quelle heure est-il à New York?

2. Quand tu prends ton petit déjeuner à Paris, quelle heure est-il à Pékin?

3. Quand tu vas à l'école à huit heures à Paris, quelle heure est-il à Los Angeles?

4. Tu déjeunes. Il est une heure à Alger, mais quelle heure est-il à Moscou?

5. Tu regardes la télé. Il est cinq heures à Moscou. Quelle heure est-il à Londres?

Une journée pas comme les autres

Hermès . . . nouvelle découverte . . .
Hermès c'est le taxi et le camion de l'espace.
Hermès doit faire la navette entre la terre et les stations
spatiales habitées. Dans quelques années vous pourrez peut-
être voyager et découvrir un univers extraordinaire . . .

1 Suivez avec nous une journée d'un(e) spationaute.
Comment passe-t-il/elle sa journée?
Imaginons . . .

quarante-sept **47**

2 À vous maintenant! Imaginez la fin de la journée d'un(e) spationaute.
Comparez votre fin de journée avec celle de votre camarade.

Illustrez votre journée.

★★★ FLASH-INFO ESPACE ★★★

Le saviez-vous?

Cet avion spatial, qui s'appelle Hermès, va amener trois astronautes qui vont faire des expériences 'en apesanteur'.

1. C'est quoi, l'apésanteur? Demandez à votre professeur de sciences, ou faites des recherches . . .
2. Imaginez une journée en apesanteur.
3. Quels sont les derniers progrès de l'espace?

Un avion spatial européen

J On enregistre

Préparez votre cassette.
Parlez de votre journée et
enregistrez tous les bruits et
les voix des personnes que
vous rencontrez dans une
journée.
Échangez votre cassette avec
un(e) de vos camarades.
Comparez vos cassettes.

K Quelquefois, toujours, souvent . . .

Écoutez la cassette.
Écrivez trois choses que ces jeunes font toujours, deux qu'ils font
souvent et une chose qu'ils font quelquefois.

L

À vous maintenant!
1 Prenez la parole.
Prenez la place de ces jeunes gens et dites ce que vous faites *toujours*, *souvent* et *quelquefois*.
2 Prenez vos stylos. Écrivez six choses que vous faites *toujours*, *souvent*, *quelquefois*.
Exemple: Je fais souvent du sport.

M La bonne place

Dans chacune de ces phrases, mettez *toujours*, *souvent* ou *quelquefois* à sa bonne place.

1. Je me lève.   (*toujours*)
2. Je prends le petit déjeuner dans la cuisine.   (*souvent*)
3. Je vais à l'école à pied. (*quelquefois*)
4. Les cours commencent à neuf heures.   (*toujours*)
5. Je déjeune à la maison. (*quelquefois*)
6. Je regarde la télé après les classes.   (*souvent*)
7. Je dîne à huit heures. (*toujours*)
8. Je me couche à neuf heures.   (*souvent*)

Flash-Grammaire

Toujours, souvent, quelquefois
If you want to say how often you do something, you can use these three words:

toujours   *always*
souvent   *often*
quelquefois   *sometimes*

However, to sound really French you have to put them in the right place – they sound best if they come just after the verb. For example:

Je vais **souvent** au cinéma   *I often go to the cinema*
Nous allons **toujours** à l'école à pied   *We always go to school on foot*
Elle se couche **quelquefois** à minuit   *Sometimes she goes to bed at midnight*

Sondage loisirs

On fait un sondage entre les lecteurs et les lectrices de *Spirale*. Êtes-vous quelqu'un qui sort souvent, toujours ou seulement quelquefois?
Répondez aux questions:

a Allez-vous à la discothèque?
   'Je vais . . . '
b Allez-vous au cinéma?
   'Je vais . . . '
c Vous couchez-vous avant minuit?
   'Je me couche . . . '
d Vous levez-vous après dix heures?
   'Je me lève . . . '
e Mangez-vous au restaurant?
   'Je mange . . . '
f Sortez-vous avec les copains?
   'Je sors . . . '

Aide-Mémoire

souvent *often*
toujours *always*
quelquefois *sometimes*

Que . . . ? *What . . . ?*
Comment . . . ? *How . . . ?*
Combien . . . ? *How many . . . ?*
Quel/Quelle . . . ? *Which . . . ?*
À quelle heure . . . ? *At what time . . . ?*

une journée typique *a typical day*
la banlieue *the suburbs*
Il se réveille *He wakes up*
Il se lève *He gets up*
Il prend son petit déjeuner *He has breakfast*
Il part pour le collège *He leaves for school*
Il rentre chez lui *He returns home*
Il avale un dîner rapide *He swallows a quick dinner*
Il se plonge dans un bain *He dives into a bath*
une école du soir *night school*
il s'endort *he falls asleep*

Un peu de lecture

Ailleurs

La journée de Kazune, un garçon de 13 ans...

Voici la journée d'un jeune Japonais de 13 ans, Takashima Kazune. Kazune habite la banlieue de Tokyo, avec ses parents et sa petite sœur, Fusako. Il est en seconde année de collège.

• **7 heures.** Takashima Kazune (1) se réveille. Il a peu de temps pour se préparer, car il habite la banlieue de Tokyo. Vite, Kazune se lève et replie son lit, le «futon».

• **7 heures 30.** Kazune prend son petit déjeuner en famille. Café et pain de mie beurré. Les Takashima préfèrent cela au repas traditionnel japonais, riz et potage.

Kazune a une sœur de 8 ans, Fusako. Kazune, lui, a 13 ans.

• **7 heures 45.** Kazune part pour le collège. Il a cours de 8 heures 30 à 15 heures, avec une pause pour le déjeuner. À 15 heures, les cours sont finis. Mais, comme ses camarades, Kazune reste à l'école jusqu'à 17 heures, car il est membre de plusieurs clubs. Il fait du tennis de table et de l'anglais.

Le japonais est une matière importante.

• **A 18 heures,** il rentre chez lui, avale un dîner rapide et part pour une école du soir.

• **A 22 heures 30,** Kazune retourne chez lui. Il se plonge avec délice dans un bain chaud. Il faut encore faire les devoirs des deux écoles. Il regarde la télévision et il s'endort vers minuit et demi.

(1) Au Japon, on place toujours le prénom après le nom de famille.

N

Lisez 'La journée de Kazune' et remplissez cette grille.

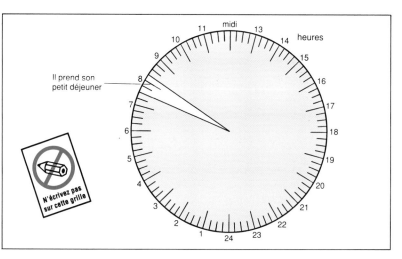

Il prend son petit déjeuner

N'écrivez pas sur cette grille

O

Choisissez une de ces activités.

1 Imaginez que vous êtes Kazune. Racontez votre journée.

Exemple: Je me réveille à sept heures.

2 Consultez une carte du monde. Choisissez un pays. Imaginez la journée d'un enfant.

3 Faites un grand reportage 'Ailleurs' et collez votre travail au mur de votre classe.

P *R.S.V.P.* ➡️

Choisissez un(e) correspondant(e) et racontez votre journée.

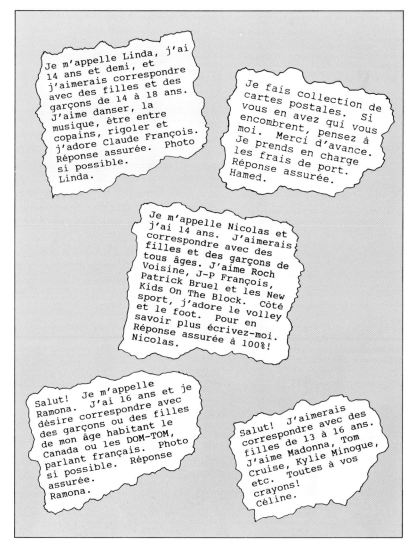

Je m'appelle Linda, j'ai 14 ans et demi, et j'aimerais correspondre avec des filles et des garçons de 14 à 18 ans. J'aime danser, la musique, être entre copains, rigoler et j'adore Claude François. Réponse assurée. Photo si possible. Linda.

Je fais collection de cartes postales. Si vous en avez qui vous encombrent, pensez à moi. Merci d'avance. Je prends en charge les frais de port. Réponse assurée. Hamed.

Je m'appelle Nicolas et j'ai 14 ans. J'aimerais correspondre avec des filles et des garçons de tous âges. J'aime Roch Voisine, J-P François, Patrick Bruel et les New Kids On The Block. Côté sport, j'adore le volley et le foot. Pour en savoir plus écrivez-moi. Réponse assurée à 100%! Nicolas.

Salut! Je m'appelle Ramona. J'ai 16 ans et je désire correspondre avec des garçons ou des filles de mon âge habitant le Canada ou les DOM-TOM, parlant français. Photo si possible. Réponse assurée. Ramona.

Salut! J'aimerais correspondre avec des filles de 13 à 16 ans. J'aime Madonna, Tom Cruise, Kylie Minogue, etc. Toutes à vos crayons! Céline.

Q *La grille de vos habitudes*

Travaillez en groupe.
Demandez à plusieurs camarades de votre classe quelles sont leurs habitudes.
Écrivez vos résultats dans votre grille, puis faites un résumé.

Nom	*se lève à*	*prend le petit déjeuner*	*va au collège*	*mange*	*fait ses devoirs*
David	*6h*	*la cuisine*	N'écrivez pas sur cette grille		

La dernière ligne est pour vous.

Exemple: David se lève à six heures. Il prend le petit déjeuner dans la cuisine . . .

N'oubliez pas de bien poser vos questions!
Trouvez les questions dans cette boîte.

Testez votre mémoire

Le labyrinthe de votre journée
Vous devez trouver dans ce labyrinthe au moins cinq choses
que vous faites tous les jours.

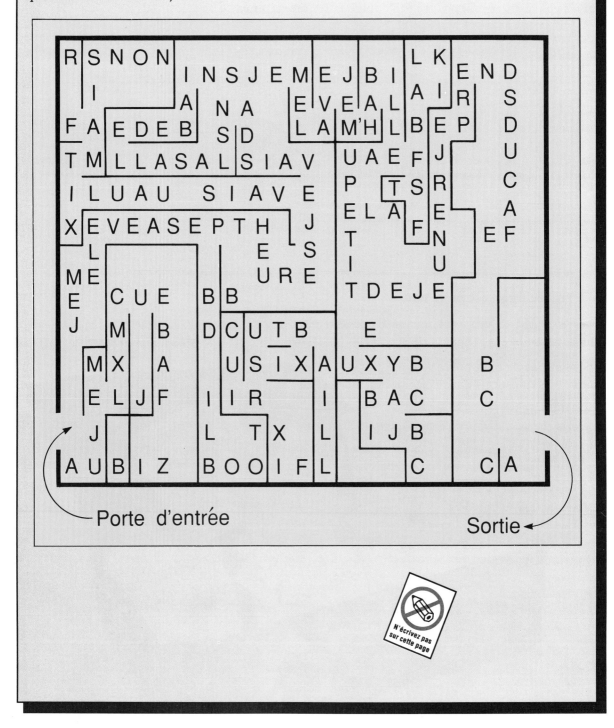

Porte d'entrée

Sortie

POUR VOUS AIDER

Objectifs

Parler de ses activités quotidiennes et les comprendre *To talk about daily activities and understand them*
Comprendre les activités des autres *To understand other peoples' activities*
Demander et dire quand on fait quelque chose *To ask and say when you do something*
Parler du décalage horaire *To talk about timetables*

de la page 40 à la page 43

On fait le tour du monde *We're going round the world*
Écoutez-les et identifiez-les *Listen and identify them*
Choisissez la bonne lettre *Choose the correct letter*
Il est né/Elle est née *He was born/She was born*
Quelles différences remarquez-vous avec votre journée typique? *What differences do you notice to your typical day?*
Choisissez la bulle qui correspond le mieux . . . *Choose the speech balloon which best matches . . .*
Quels sont les mots qui manquent? *Which words are missing?*
Comparez votre journée avec celle de votre camarade *Compare your day with your friend's*

de la page 44 à la page 47

Les enfants qui ne prennent pas de bon petit déjeuner ont envie de dormir *Children who don't have a good breakfast feel sleepy*
Partez du bon pied! *Start off on the right foot!*
Tu prends tout ton temps *Take all your time*
Tu ne pars pas le ventre creux *Don't go out on an empty stomach*
C'est très important pour votre croissance *It's very important for your development*
Pour bien démarrer votre journée. . . *To get your day off to a good start . . .*
Hermès doit faire la navette . . . *Hermès will operate a shuttle service . . .*

de la page 48 à la page 52

Parlez de votre journée *Talk about your day*
Enregistrez les bruits et les voix des personnes entendus dans une journée *Record the noises and the peoples' voices you hear during a day*
Écrivez trois choses qu'ils font toujours *Write down three things they always do*
. . . deux qu'ils font souvent . . . *two which they often do*
. . . et une chose qu'ils font quelquefois . . . *and one thing which they do sometimes*
Imaginez la journée d'un enfant *Imagine a child's day*
Faites un reportage 'Ailleurs' . . . *Carry out an enquiry 'Somewhere else' . . .*

de la page 53 à la page 54

Demandez à plusieurs camarades de classe quelles sont leurs habitudes *Ask several classmates about their habits*
Écrivez vos résultats dans votre grille, puis faites un résumé *Write the results in your grid, then do a summary*
La dernière ligne est pour vous *The last line is for you*
Le labyrinthe de votre journée *The maze of your daily routine*

MODULE 4

C'est la forme!

Objectifs

Parler des activités sportives et les comprendre.

Décrire les sports que l'on fait.

Comprendre les exercices de gym et comprendre comment garder la forme.

Dire et comprendre comment manger sain.

A *Partir du bon sport*

1 Quel est votre sport?
Écoutez et lisez.

Tout seul . . .

Comme sports, je fais de la natation

de la gymnastique

du cyclisme

du ski . . .

Et moi, je fais de la voile

de la planche à voile

de l'équitation

et du golf.

Nous, nous faisons du jogging!

En équipe, avec mes ami(e)s . . .

Comme sports, moi, je joue au hockey

au netball

au tennis

au handball . . .

Moi, je joue au football

au cricket

au tennis de table

au basket.

Comme sport, nous faisons du judo!

2 Écoutez encore une fois.
Combien de mots sont les mêmes en anglais?
Faites une liste.

C'est la forme!

B

Faites correspondre les bulles aux dessins.

A Je joue au hockey.

B Je joue au netball.

C Je joue au tennis de table.

D Je fais de la gymnastique.

E Je fais du judo.

F Je fais de la voile.

1. 2. 3. 4. 5. 6.

C

Pour faire du sport, il faut toujours le bon équipement. Écoutez.

Un ballon

des Skis

Une bicyclette

Une raquette et des balles

Une raquette et une balle

Une crosse

Regardez les dessins. Lisez les phrases et répondez 'Vrai' ou 'Faux'.

1. Je joue au hockey avec une crosse.
2. Je fais du cyclisme avec un ballon.
3. Je joue au tennis avec des skis.
4. Je joue au tennis de table avec une raquette.
5. Je fais du ski avec une raquette et des balles.
6. Je joue au football avec une bicyclette.

À vous maintenant!
Travaillez avec votre partenaire.
Inventez quatre phrases 'Vrai ou Faux'.
Complétez les phrases fausses avec le bon équipement.

Exemple: Je joue au tennis avec une raquette.

C'est la forme!

D

Écoutez ces jeunes. Ils ont oublié d'apporter tout leur équipement.
Regardez les dessins.
Qu'est-ce qu'il leur manque?

E

Regardez et écoutez.

Quels sports aiment-ils faire?

1 Faites correspondre la personne qui parle avec la lettre sous le timbre.

Exemple: Numéro 1 = **b**

Numéro 1 _____	Numéro 6 _____
Numéro 2 _____	Numéro 7 _____
Numéro 3 _____	Numéro 8 _____
Numéro 4 _____	Numéro 9 _____
Numéro 5 _____	Numéro 10 _____

N'écrivez pas sur cette grille

2 Travaillez avec un(e) partenaire.

Partenaire A choisit un timbre.

Partenaire B demande: Tu fais de la natation?

Tu fais du judo?

et devine la lettre sous le timbre.

Exemple: **Partenaire B** Tu fais du judo?

Partenaire A Oui.

Partenaire B C'est le timbre **j**.

À tour de rôle!

Flash-Grammaire

When you're talking about your hobbies and about how you spend your free time, there are two verbs you'll need to use:

faire *to do*   **jouer** *to play*

Here they are written out in full:

je fais	nous faisons	je joue	nous jouons
tu fais	vous faites	tu joues	vous jouez
il fait	ils font	il joue	ils jouent
elle fait	elles font	elle joue	elles jouent

You'll need to be extra careful about the little words you use after these verbs.

When talking about games:

with the verb **faire** you use **du**, **de la**, or **de l'**;.
with the verb **jouer** you use **au** or **aux**.

Which one you use depends on whether the named activity is masculine, feminine, plural, or starts with a vowel.
In fact it's easiest to simply learn them off by heart!

You use **faire du** + masculine words
               de la + feminine words
               de l' + words which start with a vowel

e.g. Je fais **du** jogging *I do jogging*
     Il fait **de la** gymnastique *He does gymnastics*
     Nous faisons **de l'**équitation *We do horse-riding*

With the sports, you use **jouer au** + masculine words
                          aux + plural words

e.g. Je joue **au** tennis *I play tennis*
     Elles jouent **aux** cartes *They play cards*
     Ils jouent **aux** échecs *They play chess*

C'est la forme!

F

Vous êtes maladroit(e) et timide? Vous n'aimez pas du tout le sport?
Écoutez. Lisez ce guide.
Ressemblez-vous à une de ces descriptions?

SOMMAIRE/TEST

Les sports qui sont faits pour vous sont cochés dans les colonnes verticales.

	athlétisme	danse	équitation	escrime	football	gymnastique	natation	rugby	tennis
Tu aimes jouer avec tes copains?					✓			✓	
Tu aimes les animaux?			✓						
Tu es comme un poisson dans l'eau?							✓		
Tu tapes sur toutes les balles que tu trouves?					✓			✓	✓
Tu es agile et vif comme un singe?	✓	✓		✓	✓	✓		✓	✓
Tu as le rythme dans la peau?		✓				✓			
Tu cours comme un lièvre?	✓				✓			✓	

Faites le sport qui vous convient – ça vous rendra moins timide!

Faites un sondage. Quel est le sport préféré de la classe?

N'écrivez pas sur cette grille

G Faire du sport en toute sécurité!

Les sports ne sont pas dangereux si vous êtes prudent(e)!
Évitez les accidents! Mettez le bon accessoire!
Regardez les dessins et choisissez le bon sport.

OH, VOUS SAVEZ...
NOUS, LE SKI, ÇA NOUS A PASSÉ!!

un casque

des baskets antidérapants

des genouillères

des brassards fluorescents

un gilet de sauvetage

des gants de boxe

Écrivez les réponses dans votre cahier.

Exemple: C'est pour faire de la voile.
C'est pour jouer au football.
C'est pour . . .

SPORTS EN GRILLE
Rayez dans la grille tous les sports de la liste suivante (attention, ils peuvent se lire dans tous les sens), et vous découvrirez le sport mystère.

AVIRON
BASKET
BOXE
CANOE
COURSE
CRICKET
CYCLISME
ESCRIME
EQUITATION
GOLF
GYMNASTIQUE
HOCKEY
JUDO
LANCER
MARCHE
NATATION
PELOTE
POLO
RUGBY
TENNIS
TIR
VOILE
VOLLEY
YACHTING

H *Quelle semaine active!*

	Florence
Lundi:	Je vais à la plage.
Mardi:	Je fais mes devoirs.
Mercredi:	Luc et moi, nous allons au court de tennis.
Jeudi:	Je reste à la maison.
Vendredi:	On va au centre d'équitation. Chic!
Samedi:	Nous allons chez ma grand-mère.
Dimanche:	Je fais du cyclisme.

	Antoine
Lundi:	Je fais mes devoirs. Zut!
Mardi:	On se rencontre au terrain de football à 4 heures.
Mercredi:	Un bon film à la télé.
Jeudi:	Sur les pistes de ski avec Michèle.
Vendredi:	Je fais les courses pour Maman.
Samedi:	Jean-Pierre et moi nous allons à la piscine.
Dimanche:	Je suis crevé!

Florence

Antoine

Lisez les deux agendas.
Expliquez la semaine active de Florence ou d'Antoine.
Suivez le modèle:

Lundi, elle fait de la natation . . .
Mardi, il joue au football . . .

Inventez votre agenda pour une semaine. Écrivez vos activités.
Travaillez avec un(e) partenaire.
Comparez vos agendas.
Suivez le modèle:

Lundi, je . . .
Mardi, je . . .

N'écrivez pas sur cette page

C'est la forme!

I Dix minutes de gym . . .

Vous avez la forme? Ces exercices sont indispensables!
Faites-les en musique.

A Échauffez-vous.

B Apprenez à respirer:

- Inspirez pendant 5 secondes.
- Gardez l'air dans vos poumons.
- Expirez pendant 5 secondes.

C Travaillez (en musique):

- la nuque

Un, deux –
tournez la tête,
à droite, à
gauche . . .

- les épaules

Relevez les épaules,
baissez les épaules
– un, deux, trois,
quatre . . .

- les hanches

Mains sur les
hanches, allez à
droite, à gauche . . .
(*dix fois*)

- les genoux

Pliez les
genoux . . .
(*dix fois*)

- les chevilles

Faites du jogging
sur place . . .
(*dix fois*)

Ça va mieux?

CE BILLET VOUS DONNE
DROIT A UNE SÉANCE
GRATUITE

J Il faut rester en forme

Écoutez ces jeunes. Qu'est-ce qu'ils font le week-end pour
rester en forme?
Faites correspondre les noms des personnes aux dessins.

1. Jean	3. Guo-Ben	5. Christine
2. Angèle	4. Fatima	6. Richard

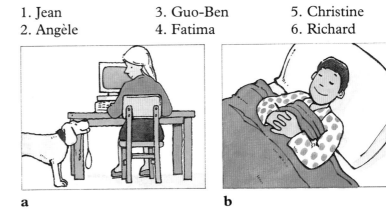

a   b

c **d** **e** **f**

<table>
<tr><td>

Aide-Mémoire

la plage *the beach*
le court de tennis *the tennis court*
le centre d'équitation *the riding centre*
le terrain de football *the football pitch*
la piste de ski *the ski slope*
la piscine *the swimming pool*

Je suis crevé! *I'm worn out!*
Dix minutes de gym . . . *Ten minutes of gym . . .*
Échauffez-vous *Warm up*
Apprenez à respirer *Learn how to breathe*
Inspirez *Breathe in*
Gardez l'air dans vos poumons *Hold the air in your lungs*
Expirez *Breathe out*
Tournez la tête *Turn your head*
Relevez les épaules *Lift your shoulders*
Baissez les épaules *Lower your shoulders*
Mains sur les hanches *Hands on hips*
Pliez les genoux *Bend your knees*
Allez à droite, à gauche *Turn to the right, to the left*
Faites du jogging sur place *Jog on the spot*

</td></tr>
</table>

🔊 K *Dormir, c'est important!*

Pour rester en forme il vous faut beaucoup de sommeil.

1 Écoutez ces personnes et regardez les dessins. Faites correspondre chaque dessin au bon numéro. Remplissez la grille.

1	2	3	4	5	6
c					

2 Combien d'heures dormez-vous?
Travaillez avec un(e) partenaire. Regardez les dessins et posez la question.

Exemple: **Vous**   Tu dors combien d'heures?
          Votre partenaire   Douze heures.

3 Calculez vos heures de sommeil.

	lundi	**mardi**	**mercredi**	**jeudi**	**vendredi**	**samedi**	**dimanche**
Je me couche à	22ʰ						
Je me réveille à	08ʰ						

Exemple: lundi – dix heures de sommeil.

C'est la forme!

Section bricolage

On peut faire du mini-golf à la maison!
Suivez les instructions d'Hercule. Jouez au mini-golf.

L Aimes-tu le sport?

Travaillez avec un(e) partenaire.
Remplissez cette grille.

le nom des sports

	la danse	le ski	le tennis	la voile	le cricket
J'aime					
Mon ami(e) aime					
Je n'aime pas					
Mon ami(e) n'aime pas					

N'écrivez pas sur cette grille

Exemple:

Partenaire A   Tu aimes la danse?
Partenaire B   Oui, j'aime la danse.

Partenaire A   Tu aimes le cricket?
Partenaire B   Non, j'aime le tennis.

Maintenant à vous de remplir la grille.
À tour de rôle!

Qui est le plus sportif/la plus·sportive?
Combien de sports aimez-vous?
Combien de sports aime votre partenaire?
Quels sports aimez-vous tou(te)s les deux?

M

Parlez. Faites un sondage.
Posez des questions à vos ami(e)s.

Exemple:

Vous   Toi, tu joues au . . .
   souvent/de temps en temps?
Votre ami(e)   Moi, je joue au
   . . . de temps en temps.

Regardez ce diagramme fait par des jeunes
français de 13 ans.
Comparez vos résultats.

Quels sont les sports préférés des Français?
Quels sont les sports préférés de votre classe?

sport	nombre de personnes qui aiment ce sport
le tennis	5
foot-ball	3
volley	7
patinage	11
ski	9
rugby	7
natation	10
badminton	5
vélo	12
basket	11
kayak } canoë	8
tennis de table	11
équitation	4

C'est la forme!

Un peu d'histoire et de géo!

LES JEUX OLYMPIQUES MODERNES

Les jeux olympiques sont inventés en Grèce en l'honneur des dieux.

● La flamme olympique a été allumée dans la ville d'Olympie en l'honneur du dieu Zeus.

● Les médailles olympiques autrefois étaient une couronne d'olivier ou de laurier. Maintenant, les médailles d'or, d'argent et de bronze remplacent ces couronnes.

● Le drapeau olympique: les cinq anneaux représentent les cinq continents et les cinq couleurs représentent les couleurs de tous les drapeaux du monde.

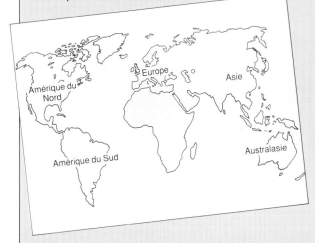

Les jeux olympiques modernes ont recommencé en 1896. Pierre de Coubertin est l'inventeur des premiers jeux olympiques modernes. Ils ont lieu tous les quatre ans.

À vous maintenant!
Regardez le tableau ci-dessous et complétez-le.

A Écrivez le nom du pays où ils se sont déroulés.
B Il n'y a pas eu de jeux olympiques en 1916, 1940 et 1944. Pourquoi?

Demandez à votre professeur d'histoire ou de géographie de vous aider.

Année	Ville	Pays	Année	Ville	Pays
1896	Athènes		1952	Helsinki	
1900	Paris		1956	Melbourne	
1904	Saint-Louis		1960	Rome	
1908	Londres		1964	Tokyo	
1912	Stockholm		1968	Mexico	
1916	–		1972	Munich	
1920	Anvers		1976	Montréal	
1924	Paris		1980	Moscou	
1928	Amsterdam		1984	Los Angeles	
1932	Los Angeles		1988	Séoul	
1936	Berlin		1992	Barcelone	
1940	–		1996	?	
1944	–		2000	?	
1948	Londres				

N'écrivez pas sur cette grille

N Sont-ils/elles sportifs/sportives?

Oui ou non? Écoutez, lisez et décidez!

O Pour garder la forme, mangez sain!

Regardez le tableau. Écoutez ces personnes.

Qu'est-ce qu'ils mangent? Écrivez une liste.
Est-ce qu'ils mangent sain?

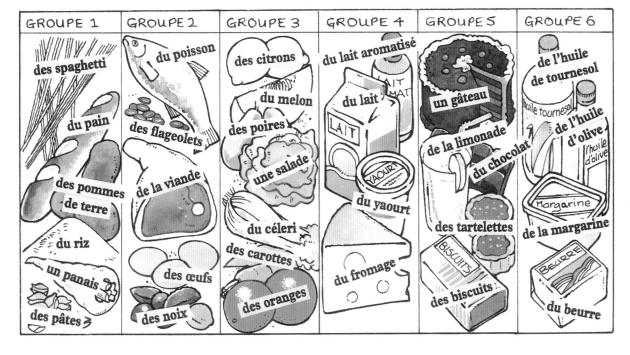

C'est la forme!

Le saviez-vous?
Votre corps a besoin de protéines, de féculents, de matières grasses, de vitamines et de minéraux.

Pour manger sain, choisissez un élément dans les groupes 1–4.

Mais attention! N'abusez pas! Ne mangez pas trop dans les groupes 5–6.

 P

Complétez un menu 'santé' pour le week-end.
Suivez le modèle.

Samedi:

petit déjeuner
jus de fruits
céréales

déjeuner
carottes rapées

* * *
poisson
salade verte

* * *
fromage

* * *
yaourt

quatre heures
croissant
jus de fruit

dîner
potage
jambon
salade de riz

* * *
fruit

Flash-Grammaire

Did you notice how in French any verbs which are giving you instructions or orders usually end in **-ez**? For example:

Tourn**ez** la tête! *Turn your head!*
Pli**ez** les genoux! *Bend your knees!*
Rest**ez** en forme! *Keep fit!*
Mang**ez** sain! *Eat healthily!*

This form of the verb is called the *imperative*, and it's often used to give advice, orders or instructions. In fact, it's simply the **vous** part of the verb without the **vous**.
Look through this module and see how many imperatives you can find.
Make a list of them and what they mean in English.

Et dimanche?
À vous maintenant! Choisissez vos plats.

du poulet   une omelette   des frites   un croque-monsieur du poisson   un œuf   un steak grillé   de la soupe   du fromage des spaghetti   une salade mixte   du jambon   du potage des fruits   des pommes de terre   des haricots verts   un yaourt des petits pois

Le saviez-vous?
Un éléphant mange 3 tonnes de nourriture par jour.

QUIZQUIZQUIZQUIZQUIZQUIZQUIZQUIZQUIZ

Quel est leur menu préféré?

1. un perroquet	5. un panda
2. une girafe	6. un loup
3. une souris	7. un pingouin
4. un singe	8. un serpent

   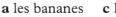

a les bananes   **c** les feuilles   **e** la poule   **g** le fromage

b les noix   **d** le bambou   **f** le poisson   **h** des œufs

Exemple: Un perroquet préfère les noix.

Aide-Mémoire

Sont-ils/elles sportifs/sportives?
Are they sporty?

. . . seulement au collège . . . *only at school*

C'est trop difficile *It's too hard*

C'est loin *It's a long way away*

Ça coûte cher *It's expensive*

Je veux rester en forme *I want to keep fit*

On fait trop de sport . . . *We do too much sport . . .*

Le sport est très important dans ma vie *Sport is very important in my life*

J'en fais tous les jours *I do some every day*

Manger sain *To eat healthily*

Votre corps a besoin de . . . *Your body needs . . .*

les protéines *proteins*
les féculents *carbohydrates*
les matières grasses *fats*
les vitamines *vitamins*
les minéraux *minerals*
les céréales *cereals*
les légumes *vegetables*

Q *Êtes-vous en pleine forme?*

Travaillez avec un(e) partenaire.

Regardez les listes à la page 69. Écrivez ce que vous mangez et ce que vous buvez souvent (8 articles).

Je mange ou je bois souvent . . .

1. _____	5. _____
2. _____	6. _____
3. _____	7. _____
4. _____	8. _____

N'écrivez pas sur cette grille

Notez le score de votre partenaire:

3 points pour chaque article dans Groupe 1 et Groupe 3
2 points pour chaque article dans Groupe 2 et Groupe 4
1 point pour chaque article dans Groupe 5 et Groupe 6

Score
20–24 Vous mangez sain!
14–20 Encore un fruit, des légumes ou des céréales?
12–15 Essayez de manger encore plus de fruits, de légumes et de céréales.
 8–12 Mangez moins de sucre, de beurre et de matières grasses! Choisissez plutôt des éléments dans les autres groupes . . .

C'est la forme!

A

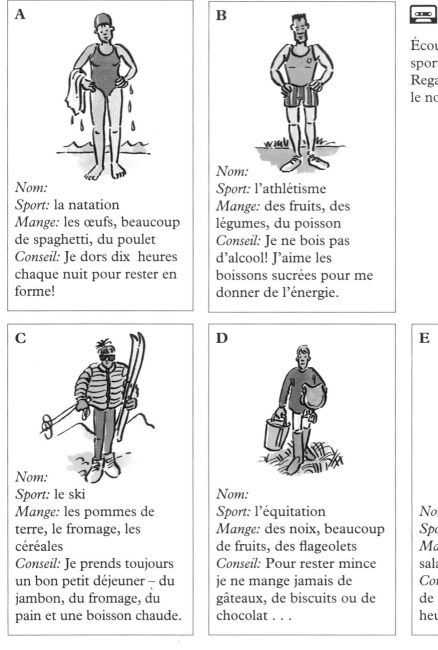

Nom:
Sport: la natation
Mange: les œufs, beaucoup de spaghetti, du poulet
Conseil: Je dors dix heures chaque nuit pour rester en forme!

B

Nom:
Sport: l'athlétisme
Mange: des fruits, des légumes, du poisson
Conseil: Je ne bois pas d'alcool! J'aime les boissons sucrées pour me donner de l'énergie.

R

Écoutez ces personnes – leur sport, c'est leur occupation. Regardez les cartes et trouvez le nom de chaque personne.

C

Nom:
Sport: le ski
Mange: les pommes de terre, le fromage, les céréales
Conseil: Je prends toujours un bon petit déjeuner – du jambon, du fromage, du pain et une boisson chaude.

D

Nom:
Sport: l'équitation
Mange: des noix, beaucoup de fruits, des flageolets
Conseil: Pour rester mince je ne mange jamais de gâteaux, de biscuits ou de chocolat . . .

E

Nom:
Sport: la gymnastique
Mange: du poisson, de la salade, du riz, du lait
Conseil: Je bois beaucoup de lait et je me couche à 10 heures le soir!

S

Créez un poster ou préparez votre publicité pour la radio ou pour une vidéo.
Travaillez avec un(e) partenaire.

Restez en forme!
Mangez sain!
Faites du sport!

POUR VOUS AIDER

Objectifs

Parler des activités sportives et les comprendre *To talk about sporting activities and understand them*

Décrire les sports que l'on fait *To describe the sports you do*

Comprendre les exercices de gym et comprendre comment garder la forme *To understand gymnastic exercises and how to keep fit*

Dire et comprendre comment manger sain *To say and understand how to eat healthily*

de la page 57 à la page 62

Quel est votre sport? *What's your sport?*

Combien de mots sont les mêmes en anglais? *How many words are the same in English?*

Pour faire du sport il faut toujours le bon équipement *To practise sport you always need the right equipment*

Ils ont oublié d'apporter tout leur équipement *They have forgotten to bring all their equipment*

Qu'est-ce qu'il leur manque? *What's missing?*

Faites correspondre la personne qui parle avec la lettre sous le timbre *Match up the speaker with the letter under the stamp*

Devine la lettre sous le timbre *Guess the letter under the stamp*

Vous êtes maladroit(e) et timide? *Are you clumsy and shy?*

Vous n'aimez pas du tout le sport? *You don't like sport at all?*

Ressemblez-vous à une de ces descriptions? *Are you like one of these descriptions?*

Faites le sport qui vous convient *Do the sport which suits you*

Faire du sport en toute sécurité! *Do sport safely!*

Les sports ne sont pas dangereux si vous êtes prudent(e)! *Sports aren't dangerous as long as you are careful!*

Évitez les accidents! *Avoid accidents!*

Mettez le bon accessoire! *Wear the right accessory!*

de la page 63 à la page 68

Inventez votre agenda pour une semaine *Make up a week's diary page*

Pour rester en forme il vous faut beaucoup de sommeil *To keep fit you need lots of sleep*

Combien d'heures dormez-vous? *How many hours of sleep do you get?*

On peut faire du mini-golf à la maison! *You can play mini-golf at home!*

Un peu d'histoire et de géo! *A bit of history and geography!*

Regardez le tableau ci-dessous et complétez-le . . . *Look at the table below and complete it . . .*

Écrivez le nom du pays où ils se sont déroulés *Write the name of the country in which they took place*

Il n'y a pas eu de jeux olympiques en 1916 *There were no Olympic Games in 1916*

de la page 69 à la page 72

Pour garder la forme, mangez sain! *To keep fit, eat healthily!*

Choisissez un élément dans les groupes 1–4 *Choose one element from groups 1–4*

N'abusez pas! *Don't overindulge!*

Ne mangez pas trop dans les groupes 5–6 *Don't eat too much from groups 5–6*

Complétez un menu 'santé' pour les jours du week-end *Devise a 'healthy' menu for the weekend*

Êtes-vous en pleine forme? *Are you in top form?*

Écrivez ce que vous mangez et ce que vous buvez souvent *Write down what you eat and drink often*

Leur sport c'est leur occupation *Their sport is their job*

Trouvez le nom de chaque personne *Find out the name of each person*

Créez un poster ou préparez votre publicité pour la radio . . . *Design a poster or prepare your advert for the radio . . .*

Restez en forme! Mangez sain! Faites du sport! *Keep in shape! Eat healthily! Do some sport!*

C'EST TON PROFIL

Coche ce que tu as appris.

Maintenant je peux . . .

	Si tu es prêt(e), tu coches ✓			Si tu ne peux pas, mets une croix ⊠ et révise la page . . .
	bien	moyen	pas très bien	
	😃	😐	🙁	
dire et comprendre: Je me lève à . . ./Je quitte la maison à . . ./Je rentre à la maison à . . .,etc.	☐	☐	☐	37-38
demander: À quelle heure te lèves-tu?/À quelle heure quittes-tu la maison?/Que fais-tu à la maison?, etc.	☐	☐	☐	43
dire ce que je prends et comprendre ce que quelqu'un prend pour le petit déjeuner	☐	☐	☐	44-45
dire ce que je fais souvent/quelquefois/toujours, et comprendre ce que quelqu'un fait souvent/quelquefois/toujours	☐	☐	☐	50
dire et comprendre: Je fais de la natation, etc./ Je joue au hockey, etc./Nous faisons du judo, etc.	☐	☐	☐	57
dire et comprendre: Je joue au football avec un ballon / Je fais du ski avec des skis, etc.	☐	☐	☐	58
choisir le bon accessoire pour chaque sport et demander: Tu fais de la natation/ du judo?, etc.	☐	☐	☐	59-60
dire ce que je fais chaque jour, e.g. Lundi, je vais à la plage . . .	☐	☐	☐	63
comprendre ce que quelqu'un fait chaque jour, e.g. Mardi, il reste à la maison . . .	☐	☐	☐	63
faire des exercices et comprendre: Tournez la tête/ Mains sur les hanches/ Allez à droite, à gauche . . .	☐	☐	☐	64
calculer mes heures de sommeil et demander: Combien d'heures dors-tu?	☐	☐	☐	65
demander: Tu aimes le sport?/ Tu joues souvent?, etc./ Quel est ton sport préféré? - et répondre à ces questions	☐	☐	☐	67

N'écrivez pas sur cette page

MODULE 5

Passe-temps et passions

Objectifs

> Dire et comprendre à quoi on s'intéresse.
>
> Parler des passions et des passe-temps et les comprendre.
>
> Exprimer son accord ou son désaccord.
>
> Interroger quelqu'un sur ses passions et ses passe-temps et les comprendre.

A Ces jeunes s'intéressent à quoi?

Écoutez!

Je m'intéresse à la photographie.

Je m'intéresse à la musique.

Je m'intéresse à l'informatique.

Je m'intéresse à la pêche.

Je m'intéresse à la cuisine.

Je m'intéresse aux échecs.

Je m'intéresse au jardinage.

Passe-temps et passions

Écoutez encore une fois!
Répondez Vrai ou Faux.

1. Marie s'intéresse à la pêche.
2. Bernard s'intéresse à la cuisine.
3. Francine s'intéresse à l'informatique.
4. Jean-Claude s'intéresse aux échecs.
5. Françoise s'intéresse à la photographie.
6. Louis s'intéresse à la musique.
7. Pascale s'intéresse au jardinage.

🎧 **B**

Et leurs amis? Lisez et
écoutez-les!

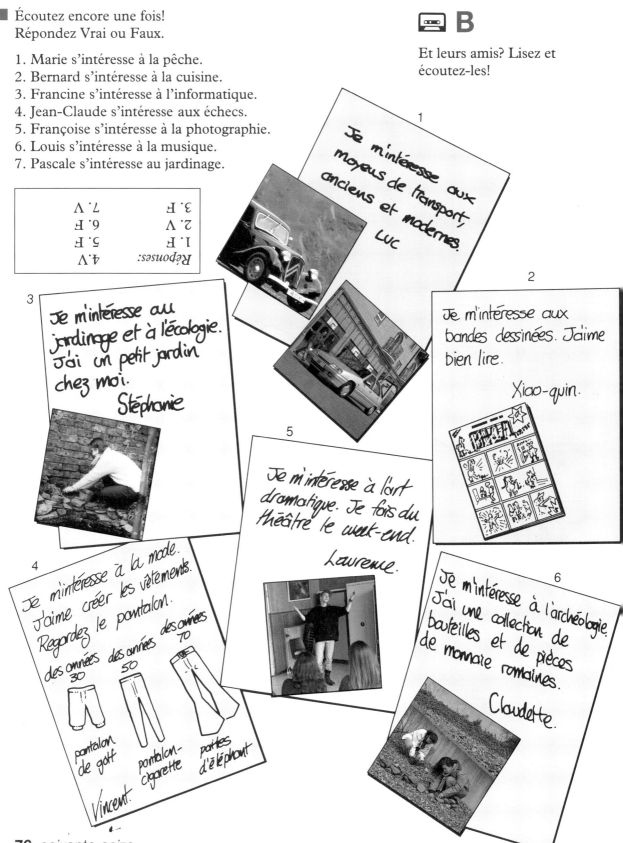

1 Je m'intéresse aux moyens de transport, anciens et modernes.
Luc

2 Je m'intéresse aux bandes dessinées. J'aime bien lire.
Xiao-quin.

3 Je m'intéresse au jardinage et à l'écologie. J'ai un petit jardin chez moi.
Stéphanie

4 Je m'intéresse à la mode. J'aime créer les vêtements. Regardez le pantalon.
des années 30 — pantalon de golf
des années 50 — pantalon-cigarette
des années 70 — pattes d'éléphant
Vincent.

5 Je m'intéresse à l'art dramatique. Je fais du théâtre le week-end.
Laurence.

6 Je m'intéresse à l'archéologie. J'ai une collection de bouteilles et de pièces de monnaie romaines.
Claudette.

C

Vous vous intéressez à toutes ces activités?
Levez la main!
Demandez à vos camarades . . .

Tu t'intéresses . . .?
Cochez les colonnes.

à la photographie						
à la cuisine						
à la musique						
aux échecs						
à l'informatique						
aux moyens de transport						
au jardinage						
à la mode						
à l'art dramatique						
à l'archéologie						

N'écrivez pas sur cette grille

Écrivez vos résultats.

Exemple: Cinq élèves s'intéressent à la photographie.

Comparez les résultats avec une autre classe en Angleterre ou en France.

Aide-Mémoire

Je m'intéresse . . . *I'm interested . . .*
 à la photographie *in photography*
 à la cuisine *in cooking*
 à la musique *in music*
 à la pêche *in fishing*
 à la mode *in fashion*
 à l'informatique *in computers*
 à l'écologie *in ecology*
 à l'art dramatique *in drama*
 à l'archéologie *in archaeology*
 au jardinage *in gardening*
 aux échecs *in chess*
 aux bandes dessinées *in cartoons*
 aux moyens de transport *in transport*
J'aime . . . *I like . . .*
 chanter *singing*
 programmer *programming*
 aller à la pêche *fishing*
 jardiner *gardening*
 faire du théâtre *drama*
 dessiner *drawing*
 faire de la photographie *photography*
 jouer aux échecs *playing chess*
 écouter de la musique *listening to music*

Flash-Grammaire

To say what you are interested in, you use the verb
s'intéresser à . . .
Here it is written out in full:

je m'intéresse à . . .	nous nous intéressons à . . .
tu t'intéresses à . . .	vous vous intéressez à . . .
il s'intéresse à . . .	ils s'intéressent à . . .
elle s'intéresse à . . .	elles s'intéressent à . . .

Depending on *what* you are interested in, you change the end of the phrase. For example:

Je m'intéresse **à la** photographie *I'm interested in photography*
Elle s'intéresse **au** jardinage *She's interested in gardening*
Il s'intéresse **à l'**informatique *He's interested in computing*
Tu t'intéresses **aux** échecs *You're interested in chess*

You use **au** for masculine words
    à la for feminine words
    à l' for words which start with a vowel
    aux for plural words.

D Le 'Top 50' des passions

Écoutez ces jeunes et cochez les cases correspondantes. Quelle est leur passion?

	1	2	3	4	5	6
le tennis						
la philatélie						
le ski						
la natation						
la randonnée						
le canoë-kayak						
la voile						
le parachutisme						
le football						
les jeux vidéo						
les maquettes						
la danse						

N'écrivez pas sur cette grille

E À vous maintenant!

Regardez ces illustrations et dites ce qui vous passionne. Suivez le modèle:

Partenaire A La musique te passionne?
Partenaire B Non, la voile me passionne.

F *Flash-infos*

En avant les passions; attention les frissons!
Écoutez la cassette et suivez les flash-infos.
À quelle illustration se rapporte chacun des flash-infos?

3.
**Moi, j'ai une passion –
les chimpanzés.
J'adore les chimpanzés.**

1.
Gérard d'Aboville a traversé le Pacifique à la rame.

2.
Canoë ou kayak?
Aïe, aïe, aïe – le record du monde de chute en kayak est de vingt-huit mètres.
Tu as envie de faire du canoë ou du kayak? Eh bien, n'oublie pas ton casque et ton gilet de sauvetage!

5.
Découverte – Hassiba Boulmerka
Championne du monde du 1500 mètres à Tokyo, elle est née à Constantine en Algérie.
Sa passion: courir. Elle a gagné la médaille d'or.

4.
Le surf des neiges, c'est ma passion. Je saute et glisse avec mon chien.

a
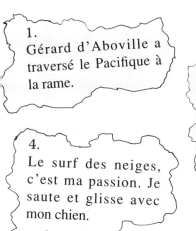

b
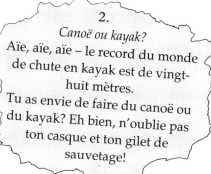

c

d

e

G *J'ai une passion . . .*

Quelqu'un a découpé des mots aux ciseaux!
Lisez. Choisissez dans la boîte à couture les morceaux qui manquent.

1.
J'ai _____ et je voudrais passionnément avoir _____ et vivre avec lui, me baigner avec lui, _____ avec lui. Je voudrais également qu'il soit très _____

Grégory, 11 ans
Verberie (60)

2. J'ai _____ et je voudrais passionnément avoir un _____ à moi.

Un cheval à moi – m'en occuper chaque jour, le nourrir, lui parler, l'aimer, _____ avec lui dans une superbe forêt, ou alors même galoper, d'un galop fou.

Annabelle, 13 ans
Bordeaux (33)

3.
J'ai _____. J'ai une passion. Je voudrais avoir des timbres de tous les _____

Anne (14 ans)
Calvados (14)

4.
J'ai _____. J'ai une passion, _____. Je joue au tennis chaque jour après _____. Je voudrais rencontrer un joueur de tennis.

Yann (15 ans)
Paris (75)

Dans la boîte à couture: 13 ans · intelligent · le tennis · 11 ans · pays · roger · 14 ans · 15 ans · l'école · cheval · un dauphin · me promener · AIGUILLES

Aide-Mémoire

J'ai une passion . . . *I have a passion . . .*
le cheval/l'aérobique *horses / aerobics*
des timbres/le dauphin *stamps/dolphins*
la philatélie/la natation *stamp-collecting/swimming*
la randonnée/la voile *hiking, rambling/sailing*
les jeux vidéo/les maquettes *videos/scale models*
la rame/le surf des neiges *rowing/snow surfing*
Je voudrais passionnément . . . *I'd passionately like/really like . . .*
La musique te passionne? *Are you mad about music?*
La voile me passionne *I'm mad about sailing*
Pourquoi? *Why?*
Parce que . . . *Because . . .*

Testez votre mémoire

Ces pictogrammes représentent chacun le nom d'une passion.
Trouvez les noms. Écrivez-les dans la grille.

N'écrivez pas sur cette grille

H *Lisez*

1

EXPO
SALON DE LA MAQUETTE

Passionnés de maquettes d'avions, de modèles réduits de trains, d'autos miniatures et de figurines, rendez-vous au Salon de la Maquette ! Vous y verrez mille merveilles évoluer sous vos yeux. Vous pourrez aussi découvrir des centaines de jeux éducatifs et de jeux de société.
Porte de Versailles, Paris, du 1er au 9 avril, de 10H à 19h.

Qu'y a-t-il à la Porte de Versailles du 1er au 9 avril?

2

FAUX FRÈRES !

Canoë et kayak se ressemblent comme des frères. Pourtant, l'un est né chez les Indiens d'Amérique du Nord et l'autre chez les Esquimaux.
Les Indiens fabriquaient des canoës en écorce de bois de bouleau, et les Esquimaux, des kayaks en peau de phoque.

1. Quel sport est né chez les Indiens d'Amérique?
2. Quel sport est né chez les Esquimaux?
3. Qu'est-ce qui est fabriqué en écorce de bois?
4. Qu'est-ce qui est fabriqué en peau de phoque?

Passe-temps et passions

Écoutez, regardez les images et lisez.
Le dessinateur de *Spirale* a fait des fautes!
Trouvez-les!

1. Pour faire de la photographie il faut

un baladeur

une pellicule

un échiquier

2. Pour faire la cuisine il faut

des disques

des ustensiles

des recettes

3. Pour programmer il faut

un ordinateur

des disquettes

un appareil-photo

4. Pour jardiner il faut

une bêche

un déplantoir

des ingrédients

5. Pour dessiner il faut

des crayons

du papier

une gomme

6. Pour faire de l'art dramatique il faut

du maquillage

des costumes

une fourche

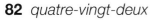

À vous maintenant!
Que vous faut-il pour . . . ?
Complétez les phrases.

1. Pour programmer il faut . . .

2. Pour écouter de la musique . . .

3. Pour dessiner . . .

4. Pour faire de la photographie . . .

5. Pour jardiner . . .

6. Pour jouer aux échecs . . .

Flash-Grammaire

Each hobby needs the right equipment – you couldn't play chess without a chess board, or do photography without a camera!

In French there's a special phrase to use when you want to say what you *need*. Did you notice it?

Look at these examples:

Pour faire de la photographie **il faut** un appareil-photo.
(. . . *you need a camera*)
Pour dessiner **il faut** des crayons.   (. . . *you need pencils*)
Pour programmer **il faut** des disquettes.   (. . . *you need computer discs*)

You can use the phrase **il faut . . .** to talk generally about what you need.

Aide-Mémoire

Il faut . . . *You need . . .*
une pellicule *a film*
un baladeur *a personal stereo*
des ustensiles *cooking utensils*
des recettes *recipes*
un échiquier *a chess board*
une pièce *chessman*
des disquettes *(computer) discs*
un appareil-photo *a camera*
une bêche *a spade*
un déplantoir *a trowel*
du maquillage *make-up*
une fourche *a fork*

J Qu'est-ce que c'est?

Écoutez. Regardez les photos.

1 Faites une liste des objets.

2 Travaillez avec un(e) partenaire.
Posez des questions.

Exemple:
Partenaire A
Tu as un/une . . . à la maison?

Partenaire B
Oui, j'en ai un/une.
Non, mais j'ai un/une . . .

À tour de rôle!

Testez votre mémoire

Choisissez la bonne solution!

Exemple:

1 + **b**

1. Pour faire de la cuisine
2. Pour jouer aux échecs
3. Pour faire de la photographie
4. Pour programmer
5. Pour dessiner
6. Pour faire du jardinage
7. Pour faire de l'art dramatique

a il faut un échiquier
b il faut des ingrédients
c il faut un ordinateur
d il faut un appareil-photo
e il faut du maquillage
f il faut un crayon
g il faut une bêche

K Pourquoi aimes-tu ça?

Travaillez avec un(e) partenaire. Inventez des questions.

Exemple:

Vous
Pourquoi aimes-tu aller en boîte?

Lisez les réponses et posez des questions.

Votre partenaire
Parce que j'aime danser.
Parce que j'aime les bandes dessinées.
Parce que j'aime manger.
Parce que j'aime écouter de la musique.
Parce que j'aime collectionner les pièces romaines.
Parce que j'aime rencontrer mes copains.
Parce que j'aime les vêtements à la mode.

À tour de rôle!

Et vous? Quels sont vos passe-temps préférés? Pourquoi?

Flash-Grammaire

Pourquoi? Parce que!
If you really want to sound interesting or persuasive, it's a good idea to explain *why* you like something or want to do something.
Similarly, you will seem more interested in what someone is telling you if you can ask them *why* they have a particular hobby.
There are two expressions in French which you will need to learn and be able to use:

Pourquoi? *Why?*
Parce que . . . *Because* . . .

Exercice

Faites correspondre ces questions aux bonnes réponses.

1. Pourquoi t'intéresses-tu à la cuisine?
2. Pourquoi aimes-tu programmer?
3. Pourquoi est-ce que Chantal adore chanter?
4. Pourquoi est-ce que Marc s'intéresse à la mode?
5. Pourquoi est-ce que je vais souvent au théâtre?

a . . . parce que je m'intéresse à l'informatique.
b . . . parce qu'il aime beaucoup acheter des vêtements.
c . . . parce que j'aime manger.
d . . . parce que je m'intéresse à l'art dramatique.
e . . . parce qu'elle s'intéresse à la musique.

L *Ordifiche*

Trouvez votre partenaire idéal(e)!

1 Toute la classe! Remplissez cette fiche mais ne mettez pas votre nom.

Nom
Âge
Intérêts
Musique préférée
Sports préférés

...et si tu savais combien de fois j'ai voulu te dire ♥♥♥

N'écrivez pas sur cette grille

Collez toutes les fiches au mur.
Choisissez votre partenaire idéal(e). Lisez la fiche que vous avez choisie à la classe et découvrez l'identité de votre partenaire. Qui est-ce?

2 Maintenant faites une cassette ou une vidéo avec les mêmes détails pour une école en France.

Exemple: Je m'appelle . . .
J'ai treize ans.
Je m'intéresse à la gymnastique
　　　　　　　à la photographie
　　　　　　　aux bandes dessinées
et j'aime la nature.

TU ES LA PLUS BELLE FLEUR DE MON JARDIN

tu es ma première pensée du matin!

UN AN SANS TÉLÉ

Un Américain de onze ans a gagné un pari de 500 dollars (3 000 francs environ) qu'il avait fait avec sa mère : il a réussi à se passer de télévision pendant un an. A l'école, ses notes se sont nettement améliorées, et il a lu beaucoup plus pendant cette année-là.

Avec cet argent, je vais m'acheter... une télé!

CHIFFRES

ÉCOLE ET TÉLÉ

Impressionnant ! Vous regardez la télévision environ 25 heures par semaine, c'est-à-dire 1 000 heures par an. Or vous ne passez que 800 heures par an à l'école. Mais quand avez-vous le temps d'apprendre vos leçons ?

📼 M *Tournez . . . manège!*

Écoutez la cassette!
Qui trouve un(e) partenaire?
Cochez les noms.

Claude

Anne-Marie

Paul

Pierre

Jacqueline

Paulette

Je t'invite...

LE NOUVEAU GESTE AMOUREUX

Aide-Mémoire

Qu'est-ce qu'on fait? *What shall we do?*

On va à la piscine? *Shall we go to the swimming-pool?*

On va à la pêche? *Shall we go fishing?*

On joue aux échecs? *Shall we play chess?*

On fait de la cuisine? *Shall we do some cooking*

On va à la disco? *Shall we go to the disco?*

On fait de l'informatique? *Shall we do some computing?*

On écoute de la musique? *Shall we listen to music?*

On va au stade? *Shall we go to the stadium?*

D'accord! *O.K.!*
Oui, j'aime ça! *Yes, I like that!*
Bonne idée! *Good idea!*
Je veux bien! *I'd like to!*

J'ai mal à la tête! *I've got a headache!*
Je n'aime pas ça! *I don't like that!*
Je suis fatigué(e)! *I'm tired!*
C'est fermé! *It's closed!*
Je n'ai pas d'argent! *I haven't any money!*

N

Travaillez avec un(e) partenaire.

Partenaire A
Regardez les photos.
Invitez votre ami(e) à deux activités.

Partenaire B
Refusez ou acceptez l'invitation.

O *Fiche portrait*

Lisez le portrait de Patricia Foly.
Quels sont ses passe-temps?
Est-ce qu'elle a une passion?
Quels sont ses plats préférés?

Nom:	Foly
Prénom:	Patricia
Née:	13 mars 1972 À: Marseille
Signe astrologique:	Poissons
Résidence:	Paris
Animal possédé:	Elle a quatre chiens, un serpent et des rats domestiques.
Sport pratiqué:	le tennis, la gym
Lieu de vacances préféré:	la Côte d'Azur
Plats préférés:	les frites, le thon, les œufs à la mayonnaise
Passe-temps préférés:	lire des bandes dessinées, écouter des disques, faire de la photographie. Elle fait aussi un peu de jardinage
Passion:	faire du shopping!
Son ambition:	voyager partout dans le monde

Quelle est votre passion?

Écrivez votre nom. Si possible, trouvez un passe-temps ou une passion pour chaque lettre de votre nom.
Suivez l'exemple:

P photographie

A art dramatique

S ski

S sport

I informatique

O ornithologie

N natation

Combien de passe-temps avez-vous trouvés?
Maintenant, choisissez une de vos vedettes préférées. Écrivez ses initiales et trouvez ses passe-temps!

▣ P *Les jours de la semaine . . . !*

lundi

– On va à la piscine?
– Mais non. La piscine est fermée!

mardi

– On va aux magasins?
– Je n'ai pas d'argent!

mercredi

– On va au stade pour le match de foot?
– Tu sais bien que je n'aime pas le football!

jeudi

– On joue au badminton à la salle des sports?
– Non. Je n'aime pas ça!

vendredi

– Chouette! C'est le week-end!
– Je suis fatiguée, moi!

samedi

– On va à la disco?
– Ah non, je ne suis pas en forme!

dimanche

– Qu'est-ce qu'on fait aujourd'hui?
– On reste à la maison . . . ?

Q

Interviewez un Français ou une Française!
Est-ce qu'il y a un assistant ou une assistante à l'école?
Travaillez en groupe de deux ou trois.
Trouvez des questions dans ce module.
Écrivez-les. Posez-les à un Français ou à une Française.
Enregistrez vos questions et les réponses sur cassette ou faites une vidéo.

POUR VOUS AIDER

Objectifs

Dire et comprendre à quoi on s'intéresse *To say and understand what you are interested in*
Parler des passions et des passe-temps et les comprendre *To talk about passions and pastimes and understand them*
Exprimer votre accord ou votre désaccord *To express your agreement or disagreement*
Interroger quelqu'un sur ses passions et ses passe-temps et les comprendre *To question someone about their passions and pastimes and understand them*

de la page 75 à la page 81

Ces jeunes s'intéressent à quoi? *What are these young people interested in?*
Levez la main! *Put your hands up!*
Comparez les résultats avec une autre classe *Compare the results with another class*
À quelle illustration se rapporte chacun des flash-infos? *Which picture goes with each newsflash?*
Quelqu'un a découpé des mots aux ciseaux *Someone has cut out some words with scissors*
Choisissez dans la boîte à couture les morceaux qui manquent *Choose the missing pieces from the sewing box*
Ces pictogrammes représentent le nom d'une passion *These picture puzzles suggest the name of a hobby*
Trouvez les noms. Écrivez-les dans la grille *Find the names. Write them in the grid*
Rendez-vous au salon de la maquette! *Meet up at the Model Exhibition!*
Qu'y a-t-il à la Porte de Versailles du 1er au 9 avril? *What is on at the* Porte de Versailles *from the 1st to the 9th of April?*
Faux Frères! *False Brothers!*
Quel sport est né chez les Indiens d'Amérique? *Which sport originated with the American Indians?*
Qu'est-ce qui est fabriqué en écorce de bois/en peau de phoque? *What is made out of wood bark/sealskin?*

de la page 82 à la page 85

Le dessinateur de *Spirale* a fait des fautes! *The* Spirale *artist has made some mistakes!*
Trouvez-les! *Find them!*
Que vous faut-il pour . . . ? *What do you need to . . . ?*
Pourquoi aimes-tu ça? *Why do you like that?*
Inventez deux questions *Make up two questions*
Quels sont vos passe-temps préférés? *What are your favourite pastimes?*
Trouvez votre partenaire idéal(e)! *Find your ideal partner!*
Ne mettez pas votre nom *Don't put your name in*
Lisez la fiche que vous avez choisie à la classe et découvrez l'identité de votre partenaire *Read out the form you have chosen to the class and find out the identity of your partner*
Faites une cassette ou une vidéo avec les mêmes détails *Make a tape or a video with the same details on it*

de la page 87 à la page 88

Écrivez votre nom. Si possible, trouvez un passe-temps pour chaque lettre *Write your name. If possible, find a hobby for each letter*
Combien de passe-temps avez-vous trouvés? *How many pastimes have you found?*
Choisissez une de vos vedettes préférées *Choose one of your favourite stars*
Trouvez des questions dans ce module *Find some questions from this module*
Posez-les à un Français ou à une Française *Ask a French person (male or female) your questions*
Enregistrez vos questions et les réponses sur cassette *Record your questions and the replies on tape*

MODULE 6

Le grand départ

 **En route!**

Lisez et écoutez l'aventure de deux petits Canadiens. Ils vont aller en France, puis à Londres.

Peter et Julie racontent . . .

Bonjour

Je m'appelle Peter.

J'ai quatorze ans. J'ai une soeur qui s'appelle Julie.

J'arrive avec ma soeur dimanche à quatre heures.

Moi, j'ai les cheveux blonds et les yeux marron,

et ma soeur est brune aux yeux marron.

Elle a un petit nez en trompette.

À bientôt,

Peter

P.S. Voici notre photo.

📼 A *À la découverte de l'étranger*

Je boucle ma valise

Je boucle ma valise

DIMANCHE
Jour du grand départ!

Écoutez Peter et Julie. Que vont-ils prendre?

Maman Peter, tu as tes jeans et tes chaussettes?
Peter Oui, Maman!
Maman Julie, tu as ta brosse à dents?
Julie Non, je n'ai pas ma brosse à dents, mais j'ai ma trousse
  de toilette.
Maman Et vos billets – vous avez vos billets?
Les jumeaux Oui, Maman.
Maman Attendez . . . et des sandwichs pour le voyage. Qui a
  les sandwichs?
Julie C'est Papa.
Papa Mais je ne les ai pas. Ils sont dans la cuisine.
Maman Dépêchez-vous les enfants. Vous allez rater l'avion!

🔊 B

1 Écoutez Peter et Julie. Ils se parlent d'une chambre à l'autre.Que disent-ils? Cochez la bonne case.

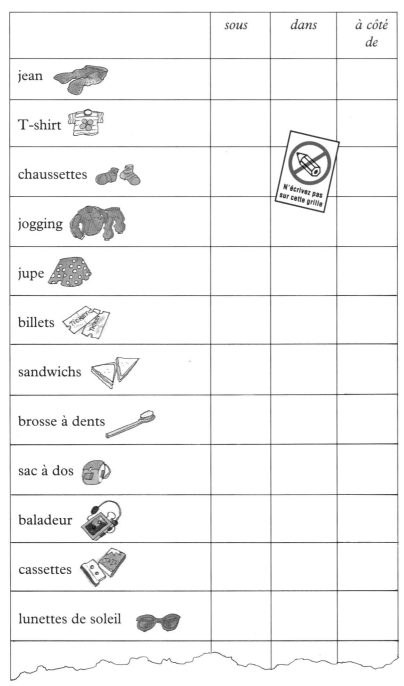

	sous	*dans*	*à côté de*
jean			
T-shirt			
chaussettes			
jogging			
jupe			
billets			
sandwichs			
brosse à dents			
sac à dos			
baladeur			
cassettes			
lunettes de soleil			

N'écrivez pas sur cette grille

2 Notez ce que la grille vous apprend!
Exemple: Les chaussettes sont dans la valise.

🔊 C

Écoutez bien les conversations et répondez-leur en trois mots:
sous, dans, à côté de.

Exemple:

Question Julie, où est mon sac à dos?
Réponse Dans ton armoire.

Aide-Mémoire

les jumeaux *the twins*
une sœur jumelle *a twin sister*
un frère jumeau *a twin brother*
une valise *a suitcase*
une brosse à dents *a toothbrush*
une trousse de toilette *a sponge bag*
un billet *a ticket*
un baladeur *a personal stereo*
rater l'avion *to miss the plane*
sous *under*
dans *in*
à côté de *next to*

🔊 D *Est-ce bien exact?*

Écoutez la cassette et regardez le texte. Il y a des erreurs . . .

'Alors, dans ma valise il y a deux joggings, un peigne, trois T-shirts, un anorak, des baskets, ma raquette de tennis et mes chaussures bleues.'

Dans votre cahier, notez les erreurs.

E Stop-chrono!

Prenez ces lettres. Secouez-les. Faites autant de mots possible. Chronométrez-vous!

Testez votre mémoire

Regardez bien leurs valises.
Fermez vos livres. Avez-vous une bonne mémoire?
Qu'est-ce qu'il y a dans chaque valise?

F Attachez vos ceintures...

Les jumeaux sont en pleine conversation.
D'où viennent tous ces gens?
Notez les pays ou les villes dans votre cahier.
Quelles langues parlent-ils?

	ville/pays	langue
Personne 1		
Personne 2		
Personne 3		
Personne 4		
Personne 5		
Personne 6		

N'écrivez pas sur cette grille

G *L'arrivée*

H Les jumeaux vous parlent de leur aventure

Écoutez la cassette et suivez.

Chers tous,
    Je suis à Fontainebleau depuis une semaine. C'est une petite ville mais très agréable. Je commence à me débrouiller.
    Voici ce que j'ai fait . . .

Chers tous,
    Moi aussi, comme Peter, je m'amuse bien.
    Je commence aussi à me débrouiller toute seule. Ma famille est très sympa.
    Voici mon programme . . .

Peter
Je suis allé

au parc d'attractions

au café

au centre sportif

au théâtre

au parc

Julie
Je suis allée

au château

au musée

aux magasins

à la plage

voir des amis

Le grand départ

▣ | *Où est . . . allé(e)?*

Écoutez la cassette et choisissez le bon dessin.

A   B   C   D

E   F   G   H

Écrivez la réponse dans votre cahier.

J

À vous maintenant!
Parlez. Où êtes-vous allé(e)?
Imaginez que vous êtes Peter
ou Julie. Dites où vous êtes
allé(e).
Voici votre agenda.
Commencez par: Je suis
allé(e) . . .

Peter   Julie

K

Écoutez la cassette.
Ces jeunes ont fait cinq
choses cette semaine.
Lesquelles?

Luc	Delphine
1.	1.
2.	2.
3.	3.
4.	4.
5.	5.

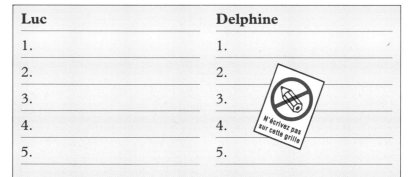

N'écrivez pas sur cette grille

 L

Écoutez la cassette.
Tracez l'itinéraire de Peter et
Julie sur le plan.
Où sont-ils allés?

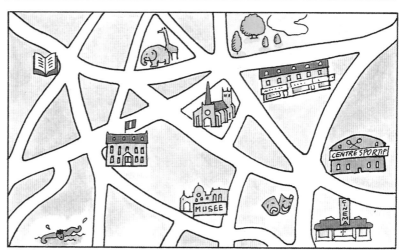

 M

Écoutez. Mettez les activités
dans le bon ordre. Puis
écrivez à la place de Peter.

1. Je suis allé . . .

2.

3.

4.

5.

N

À vous maintenant!

1 Travaillez avec un(e) partenaire. Regardez la page du calepin de Peter ou de Julie. Demandez à votre partenaire:

Partenaire A Où es-tu allé(e) lundi?

Partenaire B Je suis allé(e) au musée.

2 Racontez votre journée. Enregistrez-vous. Illustrez vos activités.

LUNDI 21

10 heures *musée*

12 heures *piscine*

14 heures *ciné*

16 heures *chez Luc*

20 heures *disco*

 ## O *Les souvenirs*

Voici Peter et Julie et les souvenirs qu'ils ont achetés. Écoutez et suivez.

Qu'ont-ils acheté pour leur famille?

un pull

un T-shirt souvenir

un porte-clefs

un parapluie

une écharpe

un sac

une trousse de bricolage

un parfum

P

Écoutez encore une fois Julie et Peter et cochez la bonne colonne.

Maman					
Sœur			N'écrivez pas sur cette grille		
Frère					
Papa					

Aide-Mémoire

Chers tous *Dear everyone*
Je commence à me débrouiller *I'm starting to get by*
Voici ce que j'ai fait *Here's what I've done*
Je suis allé(e) . . . *I have gone/I went . . .*
voir des spectacles *to see some shows*
voir des amis *to see some friends*
Je suis resté(e) *I stayed*
J'ai acheté . . . *I bought . . .*
une écharpe *a scarf*
un parapluie *an umbrella*
une eau de toilette *some eau de toilette*
un parfum *some perfume*
un porte-clefs *a key-ring*
une trousse de bricolage *a repair kit*

 Q

Écoutez la cassette.
Quelle personne va avec quel souvenir?

1	2	3	4	5	6
d					

R *Jeu d'équipe*

La classe se divise en trois équipes.
Choisissez un nom de ville et un souvenir.
L'équipe qui perdra le moins de points aura gagné.
Demandez la règle du jeu à votre professeur.

Tokyo

Londres

Casablanca

Barcelone

Paris

Florence

Utilisez les phrases: Je suis allé(e) . . . , J'ai acheté . . . , etc.

un kimono   **du thé**

des bonbons

un appareil-photo

une djellaba

du thé à la menthe

des pulls

des sacs en cuir

des gâteaux italiens

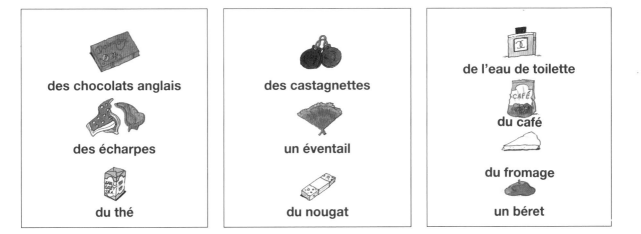

des chocolats anglais

des écharpes

du thé

des castagnettes

un éventail

du nougat

de l'eau de toilette

du café

du fromage

un béret

S *Au jour le jour: Cher journal . . .*

1 Lisez le petit journal de Julie et de Peter et remplissez la grille.
Qu'est-ce qu'ils ont fait pendant leur semaine en France?

	matin	*après-midi*	*soir*
dimanche			
lundi			
mardi			
mercredi		N'écrivez pas sur cette grille	
jeudi			
vendredi			
samedi			

Dimanche

L'arrivée en France!

Le soir nous sommes allés en ville. Elle est assez petite mais très belle. Les magasins sont différents.

Lundi

Moi →

Je suis allé à la piscine.

L'après-midi, je suis allé au ciné.

C'était très sympa!

Le grand départ

Mardi

Moi →

Je suis allée à la patinoire le matin. L'après-midi, je suis restée à la maison.

Mercredi

Je suis allé faire des courses et j'ai acheté beaucoup de cadeaux avec ma soeur.

Jeudi

Le matin, je suis allée au centre sportif. Il y a un beau court de tennis! L'après-midi j'ai acheté des cartes postales.

Vendredi

Le soir nous sommes allés au restaurant. Moi, j'aime le boeuf Bourguignon et ma soeur aime beaucoup les crêpes au jambon.

Dans les crêpes il y a de la farine, du lait, du beurre, un oeuf et du sel ou du sucre.

Samedi

Le matin, nous avons fait notre valise. L'après-midi nous sommes restés à la maison pour une super boum avec les deux familles. Le soir - au revoir, tout le monde! En route pour Londres .... A la prochaine fois!

2 Lisez ces phrases et dites si elles sont justes ou fausses.

1. 'Dimanche soir je suis allé au concert.'
2. 'Lundi je suis allé à la piscine.'
3. 'Mardi je suis allée à la maison des jeunes.'
4. 'Mercredi je suis allée faire des courses.'
5. Jeudi, Peter est allé au centre sportif.
6. Vendredi Julie est allée au château.
7. 'Vendredi soir je suis allée au restaurant.'
8. 'Samedi je suis resté à la maison.'

Combien de phrases sont fausses?
Donnez la bonne réponse.

Mon Carnet 'Au jour le jour'

À vous maintenant!
Faites votre carnet 'Au jour le jour'.
Collez vos programmes, vos billets de cinéma, de cirque, de concert et vos rendez-vous.
Collez vos cartes postales ou vos photos de vacances et racontez votre voyage.

Activité

Entraînement: Une croisière

Parlez.

Choisissez une des activités proposées.

Imaginez. Vous avez gagné un voyage à bord de ce bateau.

Dites où vous êtes allé(e) et ce que vous avez fait.

Testez votre mémoire

Vous devez ajouter le mot qui manque.

J'. . . fait

Ils . . . allé . . .

Julie . . . allé . . .

Je . . . allé

J' . . . acheté

N'écrivez pas sur cette page

U

Parlez. Écrivez.
Mettez-vous à leur place.
À l'aide de cette liste, faites
des phrases et
a Dites où vous êtes allé(e) et
ce que vous avez fait.
b Dites où vous n'êtes pas
allé(e).

au concert	✗
au cinéma	✔
à la cathédrale	✗
au café	✔
à la discothèque	✔
resté(e) en famille	✔
acheté des souvenirs	✔
allé(e) au restaurant	✔

V *Encore un virus*

Décidément cet ordinateur n'a pas la forme!
Lisez attentivement et corrigez les erreurs.
Mettez tout dans le bon ordre.

```
au concert ... allé ... suis ... Je ... amis
mes ...avec ... puis ... sommes ...
nous ... allés ... au café ... mangé ...
J'ai ... soupe ... une ... à ... tomate ...
la ... et dessert ... comme ... une ... au ...
sucre ... crêpe ... C'était ... bon ... Le ...
soir ... suis ... resté ... je ... maison ...
à ... la ... j'ai ... et ... la ... télé ...
regardé ....
```

W *Entraînement*

Travaillez avec un(e)
partenaire.
Regardez le carré magique.
Partenaire A demande: Où
es-tu allé(e)?
Partenaire B choisit une case
et répond.

Exemple: Je suis allé(e) au
cinéma.

Flash-Grammaire

When you want to say where you have been in French, there are two parts to the verb.
One part is the verb **être**:

je suis	nous sommes
tu es	vous êtes
il/elle est	ils/elles sont

The other part is the main verb, for example: **allé**.
This is called the *past participle*. The past participle must show the gender of the subject and when the subject is plural.
For example, if a girl is speaking, or the subject is 'she', you have to add an **e** to the past participle.

Je suis allé**e** chez Nathalie!

Elle est allé**e** en France.

If there is more than one boy or a mixed group, you have to add an **s**. For example:
Ils sont allé**s** au château.

But if it's more than one girl you add **es**. For example,
Elles sont allé**es** au château.

There are a limited number of verbs which use **être**, and you will need to learn them by heart.
Most of them fall into pairs and they are mainly action verbs.
La maison du bien-être will help you out!

La maison du bien-être

POUR VOUS AIDER

Objectifs

Décrire et comprendre un voyage *To describe and understand a journey*

Raconter ses expériences *To describe one's experiences*

Demander et dire où se trouve un objet *To ask and say where something is*

Parler d'un cadeau acheté *To talk about a present you have bought*

de la page 92 à la page 93

Notez ce que la grille vous apprend *Note what the grid teaches you*

Est-ce bien exact? *Is it really right?*

Regardez bien leurs valises *Take a good look at their suitcases*

Fermez vos livres *Close your books*

Secouez-les *Mix them up*

Faites autant de mots possible *Make as many words as possible*

Chronométrez-vous *Time yourself*

Attachez vos ceintures…*Fasten your safety-belts…*

Notez les pays ou les villes dans votre cahier *Jot down the countries or towns in your exercise book*

de la page 96 à la page 100

Imaginez que vous êtes Peter ou Julie *Imagine that you are Peter or Julie*

Voici votre agenda *Here's your diary*

Ces jeunes ont fait cinq choses cette semaine. Lesquelles? *These young people did five things this week. Which?*

L'équipe qui perdra le moins de points aura gagné *The team which drops the fewest points has won*

Demandez la règle du jeu à votre professeur *Ask your teacher for the rules of the game*

de la page 103 à la page 105

Lisez ces phrases et dites si elles sont justes ou fausses *Read these sentences and say whether they're true or false*

Combien de phrases sont fausses? *How many sentences are false?*

Donnez la bonne réponse *Give the right reply*

Faites votre carnet 'Au jour le jour' *Make a 'day by day' notebook*

Vous avez gagné un voyage à bord de ce bateau *You have won a trip on board this boat*

Vous devez ajouter le mot qui manque *You must add the missing word*

Décidément cet ordinateur n'a pas la forme! *This computer is decidedly off colour!*

Je suis entré(e)
Je suis sorti(e)
Je suis arrivé(e)
Je suis parti(e)
Je suis allé(e)
Je suis venu(e)
Je suis monté(e)
Je suis descendu(e)
Je suis né(e)
Je suis resté(e)
Je suis tombé(e)
Je suis rentré(e)
Je suis revenu(e)

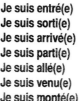

entrer	to enter
sortir	to go out
aller	to go
venir	to come
arriver	to arrive
partir	to leave
monter	to go up, to get on
descendre	to go down
rester	to stay
tomber	to fall
rentrer	to go back, to go in again
revenir	to return, to come back
naître	to be born

C'EST TON PROFIL

Coche ce que tu as appris.

Maintenant je peux . . .

	Si tu es prêt(e), tu coches ✓			Si tu ne peux pas, mets une croix X et révise la page . . .
	bien 😊	moyen 😐	pas très bien ☹	
dire et comprendre: Je m'intéresse à la photographie/ aux échecs, etc. et demander: Tu t'intéresses à quoi?	☐	☐	☐	75
parler de mes passions	☐	☐	☐	78
dire et comprendre: Pour faire la cuisine il faut . . ./ Pour dessiner il faut . . .	☐	☐	☐	82
demander: Pourquoi tu aimes ça?, et comprendre : Parce que j'aime . . .	☐	☐	☐	84
inviter un(e) ami(e), e.g. On va à la piscine?, et comprendre son refus, e.g. Non, je n'aime pas ça	☐	☐	☐	86
demander et comprendre: Où est ta brosse à dents?/ Qui a les sandwichs?/ Je n'ai pas mes chaussettes	☐	☐	☐	91
répondre et comprendre: Sous le lit/ Dans la valise/ À côté de . . .	☐	☐	☐	92
comprendre et dire: Je suis allé(e) au café/ au musée, etc., et demander: Où es-tu allé(e)?	☐	☐	☐	93
demander: D'où viens-tu?, et répondre: Je viens d'Angleterre, etc.	☐	☐	☐	95
raconter ma journée et comprendre celle de mon ami(e)	☐	☐	☐	98
parler de ce que j'ai acheté comme souvenirs et comprendre ce que quelqu'un a acheté	☐	☐	☐	98
écrire mon agenda de toute la semaine	☐	☐	☐	103

MODULE 7

Une balade à bicyclette

Objectifs

Faire, accepter et refuser une suggestion.

Donner des excuses.

Dire et comprendre ce que chacun doit apporter.

Demander, dire et comprendre qui doit faire quoi, et comment se déplacer.

Ça y est - tu as rendez-vous avec X pour la première fois!

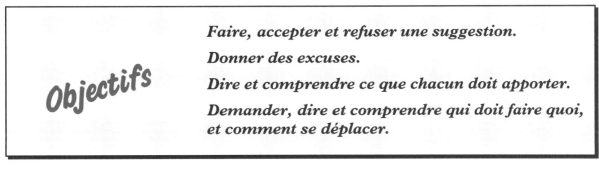

🖭 A *Vous êtes indécis(e)*

Vous ne savez pas quoi
faire . . .
Écoutez et suivez.

Tu veux . . .

faire un pique-nique

aller au concert

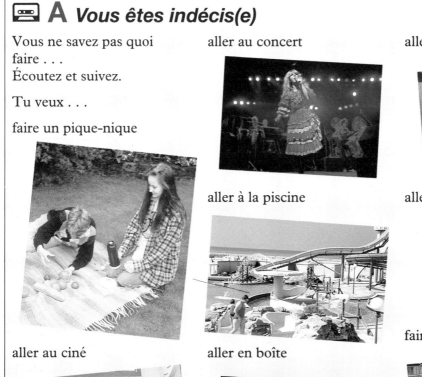

aller à la piscine

aller au club des jeunes

aller au parc d'attractions

faire une balade à bicyclette

aller au ciné

aller en boîte

Écoutez la cassette et notez
les sorties acceptées (il y en a
trois) et les sorties refusées
(il y en a cinq).

🖭 B

Écoutez et parlez.
Écoutez bien les invitations.
Invitez vos ami(e)s. Imitez l'exemple.

Vous acceptez:

Partenaire A Tu veux aller au cinéma?
Partenaire B Oui, bonne idée.

Vous refusez:

Partenaire B Non merci, ça ne me dit rien.
Je n'ai pas envie de sortir.

📼 C *Jamais d'accord*

Écoutez maintenant.
Viendront/viendront pas?
Létissia organise une soirée
avec quelques amis. Écoutez
la cassette et cochez la grille.

	oui	*non*
1. **Nicole**		
2. **Joachim**		
3. **Fabien**		
4. **Florette**		
5. **Néomie**		

N'écrivez pas sur cette grille

Aide-Mémoire

Vous voulez/Tu veux . . . ? *Do you want . . . ?*

faire une balade à bicyclette *to go for a bike ride*

faire un pique-nique en forêt *to go for a picnic in the forest*

aller au ciné *to go to the cinema*

aller au concert *to go to the concert*

aller au club des jeunes *to go to the youth club*

aller au parc d'attractions *to go to the amusement park*

aller à la patinoire *to go to the skating rink*

aller à la piscine *to go to the swimming pool*

aller à une soirée *to go to a party*

aller en boîte *to go to a night-club*

Oui, pourquoi pas! *Yes, why not!*

Chic! Bonne idée! *Great! Good idea!*

D'accord! *O.K.!*

Non, je suis désolé(e) *No, I'm sorry*

Ça ne me dit rien *It doesn't appeal to me*

📼 D

Vous refusez.
Trouver des excuses – quelquefois ce n'est pas facile!

'Je ne peux pas . . . parce que . . .'

Écoutez et suivez.

1. Je dois aller chez le dentiste.

2. Je dois faire mes devoirs.

3. Je dois garder ma sœur.

4. J'ai la grippe.

5. Je dois me laver les cheveux.

6. Je dois ranger ma chambre.

7. Je dois faire le ménage.

8. Je dois aller chez mes grands-parents.

Une balade à bicyclette

 E *Excuses, excuses, excuses . . .*

Écoutez la cassette.
Qui dit quoi?

1. Qui doit faire ses devoirs?
2. Qui doit aller chez le dentiste?
3. Qui a la grippe?
4. Qui doit ranger sa chambre?
5. Qui doit faire un tournoi de tennis?

	Damien	Benoît	Laure	Élodie	Clémentine
1.					
2.					
3.					
4.					
5.					

N'écrivez pas sur cette grille

F

À vous maintenant!
1 Travaillez avec un(e) partenaire.
Posez une question à votre partenaire.

Exemple: **Partenaire A**   Tu veux aller au cinéma?

Ton ou ta partenaire doit trouver une excuse.
Puis, changez de rôle.

c

Ça te dit de jouer au tennis?

d

Ça te dit d'aller au parc d'attractions demain?

e

Tu veux aller au concert ce soir?

a

Tu veux aller au cinéma?

b

Tu veux aller à la piscine?

Excuses

1. Non, je ne peux pas. Je dois acheter des lunettes.

2. Désolé(e). Je dois faire mes devoirs.

3. Impossible– je dois garder mon frère ce soir.

4. Je dois acheter un maillot de bain.

5. Demain? Impossible – je dois me laver les cheveux . . .

2 *Je n'ai pas bien entendu . . . !*

Dites à votre partenaire ce que vient d'être dit.
Suivez l'exemple:

1. Il dit qu'il doit acheter des lunettes.

Flash-Grammaire

Devoir

This verb tells you what you *have to* or *must* do. Here's the present tense of it in full:

je dois	*I must*
tu dois	*you must*
il doit	*he must*
elle doit	*she must*
nous devons	*we must*
vous devez	*you must*
ils doivent	
elles doivent	*they must*

Devoir is usually followed by the infinitive of the verb you *have to* do. For example:

Je **dois faire** mon lit! *I have to make my bed.*
Je **dois aller** chez le dentiste. *I must go to the dentist's.*

Exercice

Remplissez les trous avec la bonne partie de **devoir**.

1. Je . . . . . . rester chez moi. J'ai la grippe.
2. Nous . . . . . . faire nos devoirs.
3. Je . . . . . . me laver les cheveux.
4. Il . . . . . . faire le ménage.
5. Tu . . . . . . ranger ta chambre.

G

Parlez et écrivez. Travaillez avec un(e) partenaire.
Dans chaque illustration, une personne propose une soirée.
L'autre refuse.
Donnez-leur la parole. Puis écrivez les excuses.

1.

Aide-Mémoire

Les excuses
Je dois aller chez le dentiste / *have to go to the dentist*
. . . **garder ma sœur** *look after my sister*
. . . **faire le ménage** *do the housework*
. . . **faire mes devoirs** *do my homework*
. . . **me laver les cheveux** *wash my hair*
. . . **ranger ma chambre** *tidy my room*
. . . **acheter des lunettes** *buy some glasses*
J'ai la grippe *I've got flu*

Une balade à bicyclette

2.

3.

4.

5.

Ces jeunes sont en grande conversation.
Que doivent-ils faire avant de sortir?
Écoutez-les et choisissez le bon numéro.

A

B

C

D

E

Testez votre mémoire

Quelle barbe!
Ces dessins illustrent ce que vous devez faire avant de sortir.
Dites-le à vos camarades, puis écrivez la bonne légende pour chaque dessin .

Exemple: *Je dois faire le ménage.*

Regardez la section 'Pour vous aider'.

Une invitation pas comme les autres!

1 *Une balade à bicyclette et un pique-nique en forêt*
Damien téléphone à Létissia.
Écoutez la conversation.

2 Écoutez encore une fois la cassette.
Regardez les invitations.
Trouvez la bonne invitation.

1. *Tu veux aller en boîte samedi soir?*

2. *Ça te dit d'aller à la patinoire?*

3. *Je t'invite à ma boum! – samedi. R.S.T.P.*

4. *Tu veux faire un pique-nique?*

5. *On va à la piscine samedi matin?*

J

Un pique-nique à bicyclette!
Damien et James se préparent
à partir.
Écoutez leur conversation.
Que doivent-ils prendre?
Écrivez la liste des choses
qu'ils vont prendre pour le
pique-nique.

 K

Écoutez la conversation, regardez le sac à dos et trouvez les
erreurs.
Notez les erreurs dans votre cahier.

L *Votre pique-nique en fôret*

Regardez ce panier de
provisions.
Il y a un problème – il est vide!
Regardez les vignettes suivantes.
Dites et dessinez ce que vous
devez apporter pour votre
pique-nique.
Vous devez apporter:

| de l'eau | des bonbons | des gâteaux secs | une carte |
| une boussole | du jus d'orange | des chips | des chewing-gums |

🔊 M
Un pique-nique, ça s'organise!

Écoutez la cassette. Dessinez les lignes entre les personnes et ce qu'ils apportent.

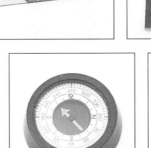

Damien

Létissia

Jean

René

N *Qui apporte quoi?*

Travaillez avec un(e) partenaire.
Regardez la grille. Dites à votre camarade ce que chaque personne doit apporter.
La dernière ligne est pour vous.

Nom	doit apporter
Lucie	COKE COKE
Paul	
Marc	
Éléonore	CHIPS CHIPS
Jean-Claude	
Vous	

Exemple 1:

Partenaire A demande: Que doit apporter Lucie?
Partenaire B répond: Lucie doit apporter des boissons.

Exemple 2:

Partenaire A Et toi, que dois-tu apporter?
Partenaire B Je dois apporter des gâteaux secs.

N'écrivez pas sur cette page

O *Êtes-vous un(e) aventurier/ière?*

Préparez votre sac.

Vous ne devez emporter que six objets.

Additionnez les lettres qui correspondent aux objets que vous avez choisis. Regardez la solution.

Vous êtes un aventurier?

Vous êtes une aventurière?

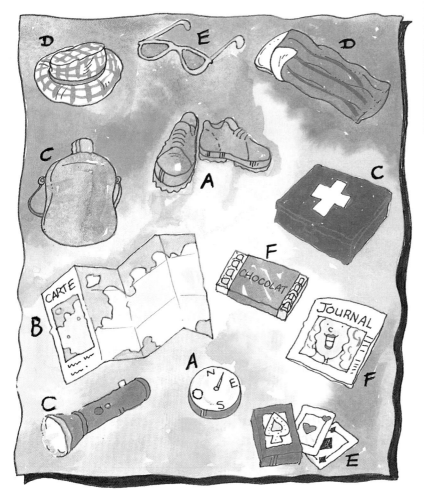

Résultats du jeu

• *Si les A et les B l'emportent*

Vous aimez l'aventure.

• *Si les C et les D l'emportent*

Vous êtes prudent(e).

• *Si les E et les F l'emportent*

Vous aimez rester chez vous. Vous n'êtes pas fait(e) pour l'aventure.

N'oubliez pas d'écrire votre liste.

Aide-Mémoire

Je dois apporter . . . *I must bring . .*

un sac à dos *a rucksack*
un sac de couchage *a sleeping bag*
une trousse de premiers secours
a first-aid box
un thermos *a thermos flask*
une gourde *a flask*
un roman *a novel*
un chapeau *a hat*
une boussole *a compass*
une carte *a map*
une torche *a torch*
des lunettes de soleil *some sunglasses*
des gâteaux secs *some biscuits*
des quiches *some quiches*
des cassettes *some tapes*

Il est vide *It's empty*

P

Damien vérifie maintenant les bicyclettes.

1 Écoutez ce qu'il dit à James.

Avant de partir tu dois:

1. Vérifier la pression des pneus.

2. Vérifier les freins.

3. Prendre toujours un chapeau, un peu d'eau et des lunettes de soleil, s'il fait beau.

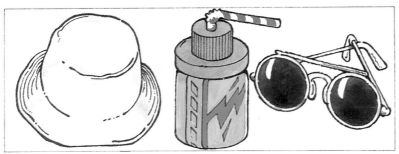

LOCATIONS VERTES

BOIS DE BOULOGNE • PARC DE VERSAILLES • BOIS DE VINCENNES

TEL : 39.50.55.12

Pour louer un cycle, veuillez laisser une caution ou VOTRE PIECE D'IDENTITE et réclamer VOTRE TICKET.
Le paiement s'effectue au retour.

To rent a bicycle, please leave a deposit or your IDENTIFICATION CARD and get your TICKET. Payment after return.

TARIF	1/2 heure	1 heure
BICYCLETTE	14 F	25 F
BICYCLETTE avec carte de Fidélité personnelle	1 heure gratuite pour 5 heures ou 10 demi-heures	
TANDEMS OU AUTRES		

ATTENTION
TOUT MATERIEL ENDOMMAGE OU NON RESTITUE SERA FACTURE A L'UTILISATEUR
TRIANON . CHATEAU . HAMEAU
Jardins interdits . Gardens not allowed . Jardines prohibidos

2 Voici ce que James répond. Écoutez.
Qu'a-t-il oublié?

J'ai vérifié la pression des pneus.
J'ai vérifié les freins.
J'ai pris un chapeau.

Activités

Regardez le dessin et apprenez à connaître votre vélo. Trouvez le bon numéro :

la sonnette	le cadre	les freins	les lumières	la selle
les pneus	la chaîne	les pédales	le catadioptre	le guidon

LES FREINS
Trop mous, ils ne
freinent pas. Trop durs,
tu bascules.
Le mieux, c'est
de régler la longueur
du câble. Et les patins
sur les roues?
Pas trop usés?

LA SELLE
Visse bien l'écrou
pour qu'elle
ne tourne pas.

LA SONNETTE
Visse le couvercle
pour ne pas
le perdre en roulant,
mais pas trop sinon
la sonnette
ne marchera plus.

LE CADRE
Nettoie-le avec
une éponge humide
et sèche-le bien
avec un chiffon.

LES LUMIÈRES
Retourne ton vélo
Mets la dynamo
et tourne les pédal
très vite. Attention
Ne mets pas tes doi
Ça n'éclaire pas?
C'est peut-être
l'ampoule qui est us
ou un fil qui est cou

LE GUIDON
Visse bien l'écrou
pour qu'elle
tourne facilement.

LE CATADIOPTRE
Vérifie qu'il est bien
brillant pour que
les voitures te voient
la nuit. S'il est cassé,
change-le parce
qu'il est obligatoire.

LES PNEUS
Pneus dégonflés,
crevaison assurée.
Alors, si ton doigt
s'enfonce quand
tu appuies dessus,
donne-leur un petit
coup de pompe.

LES PÉDALES
Si tu n'as pas
de plaques brillantes
obligatoires sur
les pédales, colle
des bandes adhésives
phosphorescentes.

LA CHAÎNE
Graisse avec
une burette d'huile.

Qu'il est beau, mon vélo!

Testez votre mémoire

Damien et Létissia ont la tête en l'air.
Regardez le vélo et dites à votre camarade ce qu'ils ont oublié.

Regardez la liste à droite.

Aide-Mémoire

le vélo *the bicycle*
la sonnette *the bell/horn*
la selle *the saddle*
la chaîne *the chain*
le cadre *the frame*
le catadioptre *the reflector*
les freins *the brakes*
les pneus *the tyres*
les lumières *the lights*
les pédales *the pedals*
le guidon *the handlebars*

Q *La grande évasion*

N'allez pas chercher plus loin.
Il n'y a pas que des pique-niques en vélo ou en forêt . . .

LA GRANDE ÉVASION

1 Lisez 'La grande évasion'. De quoi s'agit-il?

2 Écoutez la cassette. Cochez les provisions que Yann et Nathalie mentionnent.

de l'Orangina	❏
des sandwichs	❏
des cornichons	❏
du jambon	❏
des gâteaux	❏
du camembert	❏
du beurre	❏
du saucisson	❏
la gourde	❏
la boussole	❏
les livres	❏
les couvertures	❏
les pliants	❏
l'appareil-photo	❏
de la crème solaire	❏

N'écrivez pas sur cette grille

3 Êtes-vous comme Yann et Nathalie?
Aimez-vous faire des pique-niques dans votre jardin ou dans un parc à côté de chez vous?

À l'aide des dessins qui se trouvent ci-dessous, décrivez votre pique-nique. Si possible, utilisez tous les mots du module . . .

N'oubliez pas de trouver un nouveau titre!

4 Avec tous les mots de la petite histoire 'La grande évasion', faites un tracmots et donnez un titre . . .

Observation et mémoire

Observez, parlez et écrivez.
Stéphane et Dominique ont chargé leurs sacs à dos.
Observez les sacs et devinez ce qu'il y a dedans.
Dites-le à votre partenaire, puis écrivez-le dans les cases.

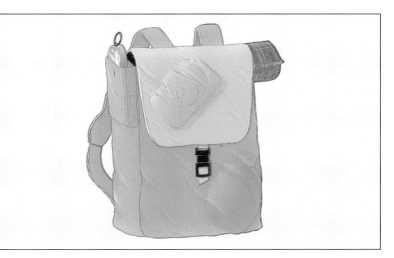

Le sac de Stéphane

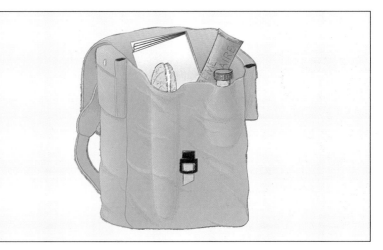

Le sac de Dominique

Le sac de Stéphane
1
2
3
4

Le sac de Dominique
1
2
3
4

N'écrivez pas sur cette grille

R

Êtes-vous un(e) fana de la bicyclette ou préférez-vous un autre moyen de transport pour vos sorties?

Quel autre moyen de transport préférez-vous?

l'avion

le train

l'aéroglisseur

le bus

la voiture

Ou peut-être la marche à pied?

Ou aussi le cheval?

Ou les fusées?

 # S

Écoutez tous ces bruits.
Quel est le moyen de transport?

1	4
2	5
3	6

N'écrivez pas sur cette grille

T

1 Écoutez maintenant ces jeunes.
Quel moyen de transport préfèrent-ils pour leur sortie?

la voiture

l'aéroglisseur

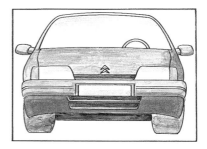

la bicyclette

le train

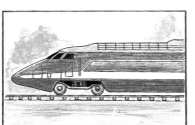

le bateau

l'avion

Nom	Moyen de transport
1. Néomie	
2. Julien	
3. Lucette	
4. Charles	
5. Jeanne-Charlotte	
6. Hamed	

N'écrivez pas sur cette grille

Regardez les illustrations aux pages 124 - 125.
2 Quels moyens de transport préférez-vous?
Dites-le à votre camarade.
Commencez par:
Je préfère . . .

U *Devinette*

Qu'est-ce que c'est?

1. Il y a deux roues et pas de moteur . . .
2. On s'en sert pour marcher, et parfois on dit: 'Oh, j'ai mal aux . . .'
3. Ça va vite et cela vole.
4. Vous le trouvez sur l'eau et c'est très rapide.
5. C'est long. Cela ressemble à une fusée sur terre . . .
6. Il a quatre pattes et c'est très gentil . . .
7. Elle a quatre roues et un moteur.
8. Elle va dans l'espace et observe les étoiles.

Avez-vous deviné?
Pouvez-vous inventer d'autres devinettes?

Jouez avec vos camarades et comparez vos devinettes.
Collez-les au mur de votre classe et jouez au jeu 'Devinettes–transport'.

Flash-Grammaire

Problem prepositions!

In English, it's quite easy to say how you are travelling. You go *by* train, *by* car, *by* bus, *by* bicycle, *by* plane, or possibly *on* foot!
In French, it's different. There are several different ways of saying *by*. For example:

Je vais, **en** voiture.

Il va **par le** train.

Nous allons **à** pied.

The words **en, par** and **à** are called prepositions.
The only way to remember which preposition to use each time is to learn them by heart.
Here is the list:

en aéroglisseur	à cheval	par le train
en autobus	à moto	
en avion	à pied	
en bateau		
en taxi		
en vélo		
en voiture		

V

Faites un sondage.

Demandez à votre classe

A Combien d'élèves préfèrent la bicyclette?
la voiture, etc.

B Indiquez vos réponses sur la grille ci-dessous.

N'écrivez pas sur cette grille

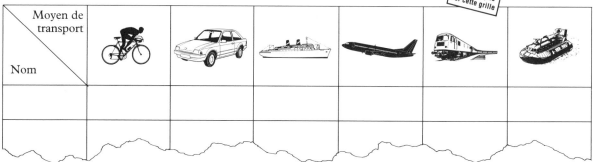

Moyen de transport / Nom						

C Analysez vos résultats et présentez-les à la classe.

Exemple: 10 élèves préfèrent la bicyclette.

*info*CULTURE

L'histoire des roues

• Une bicyclette? Non! C'est **un célérifère**, inventé par le Comte de Sivrac.

Célérifère, 1793
On fait des courses sur célérifère le long des Champs-Élysées!

• Puis, c'est **le vélocifère**, inventé par le Baron von Drais de Sauerbrun (un Allemand). Il transporte sa machine à Paris.

Vélocifère, 1818

• Puis, c'est **la draisienne**, qui vient de la France en Angleterre.

'Draisienne' ou hobby-horse, 1819
Un sport nouveau!

• Un peu plus de sophistication: **un vélocipède** – mais cette fois avec des pédales, inventées par Pierre et Ernest Michaux en 1861.

Michaux: vélocipède, 1865
Le fils de Napoléon III et son cousin en ont un!
Les vélocipèdes traversent l'Atlantique en 1869.

• Est-ce une bicyclette en 1870? Non! Un Anglais, James Starley, fabrique **une ordinary**.

Ariel, 1870

• Enfin! En 1879, cela devient **la bicyclette**.

Lawson 'Bicyclette', 1879
Elle a été fabriquée par un Anglais . . . !

• Et maintenant la bicyclette est devenue un **V.T.T. (vélo tout terrain)**.

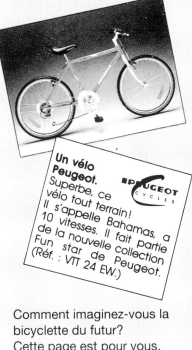

Un vélo Peugeot.
Superbe, ce vélo tout terrain! Il s'appelle Bahamas, a 10 vitesses. Il fait partie de la nouvelle collection Fun star de Peugeot. (Réf. : VTT 24 EW.)

Comment imaginez-vous la bicyclette du futur?
Cette page est pour vous.
Comparez vos idées avec celles de vos camarades.

Une balade à bicyclette

POUR VOUS AIDER

Objectifs

Faire, accepter et refuser une suggestion *To make, accept or refuse a suggestion*
Donner des excuses *To give excuses*
Dire et comprendre ce que chacun doit apporter *To say and understand what everyone has to bring*
Demander, dire et comprendre qui doit faire quoi, et comment se déplacer *To ask, say and understand who has to do what, and how to get around*

de la page 110 à la page 115

Vous êtes indécis(e) *You can't make your mind up*
Vous ne savez pas quoi faire *You don't know what to do*
Notez les sorties acceptées et les sorties refusées *Note the outings accepted and the outings refused*
Jamais d'accord *Never in agreement*
Dites à votre partenaire ce que vient d'être dit *Tell your partner what has just been said*
Quelle barbe! *What a nuisance!*
Ces dessins illustrent ce que vous devez faire avant de sortir *These pictures show what you have to do before going out*
Une invitation pas comme les autres! *An unusual invitation!*

de la page 116 à la page 119

Regardez ce panier de provisions *Look at this shopping basket*
Il y a un problème – il est vide! *There's a problem – it's empty!*

Regardez les vignettes suivantes . . . *Look at the following illustrations . . .*
Dessinez ce que vous devez apporter pour votre pique-nique *Draw what you have to bring for your picnic*
Un pique-nique, ça s'organise! *A picnic is being organised!*
Êtes-vous un(e) aventurier/ière? *Are you adventurous?*
Si les A et les B l'emportent *If the As and Bs win*
Vous ne devez emporter que six objets *You can only bring six items*
Additionnez les lettres *Add up the letters*
Damien vérifie maintenant les bicyclettes *Now Damien is checking the bicycles*
Qu'a-t-il oublié? *What has he forgotten?*

de la page 120 à la page 125

Apprenez à connaître votre vélo *Get to know your bike*
Qu'il est beau mon vélo! *What a lovely bike!*
Damien et Létissia ont la tête en l'air *Damien and Létissia are scatterbrained*
La grande évasion *The great escape*
Stéphane et Dominique ont chargé leurs sacs à dos *Stéphane and Dominique have loaded their rucksacks*
Êtes-vous un(e) fana de la bicyclette ou préférez-vous un autre moyen de transport? *Are you a bicycle fan or do you prefer another method of transport?*
Avez-vous deviné? *Have you guessed?*

MODULE 8

Les sorties

Objectifs

> **Donner un jour, une heure et un lieu de rencontre.**
>
> **Demander et dire ce que l'on va faire, et ce que l'on aime/déteste faire.**

A *On se retrouve où? . . . À quelle heure? . . . Quand?*

1 Lisez et écoutez.
On se retrouve . . .

à la gare

devant le cinéma

au café

à la maison

chez Nadine

Place Auguste Perret

Les sorties

au métro   derrière la disco   à côté du club des jeunes

2 Écoutez ces jeunes. Ils discutent de leur rendez-vous.
Écoutez les conversations et choisissez le bon dessin.

1. Paul

4. Patricia

2. Séverine

5. Jean

3. Patrice

6. Guillaumette

B *Ne vous perdez pas!*

Regardez ce plan. Dites *où* vous allez vous retrouver, *quand* et *à quelle heure*.
N'oubliez pas d'utiliser ces trois mots: *devant, dans, à côté de*.

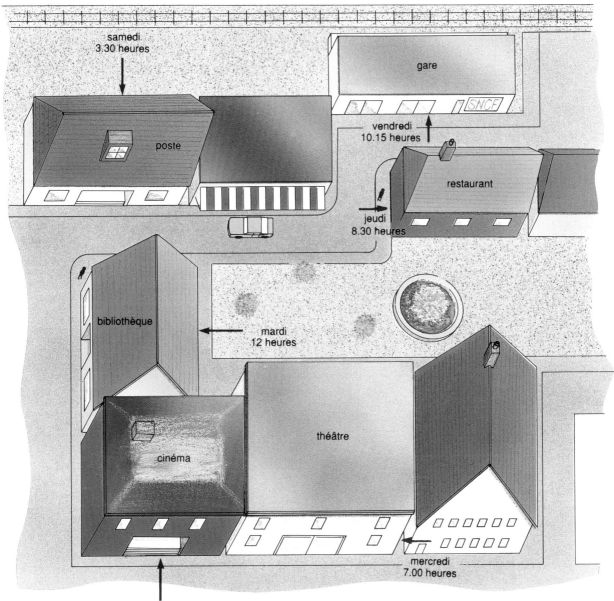

Suivez le modèle:

Partenaire A
Tu veux aller au ciné?
Lundi.
Devant le ciné.
À cinq heures.

Partenaire B
Oui. Quand?
C'est bon. On se retrouve où?
À quelle heure?
D'accord.

Les sorties

C

Écoutez la cassette. Placez les différents lieux sur le plan.

N'écrivez pas sur cette page

centre sportif

café

club des jeunes

métro

Vous êtes ici

le cinéma
la disco
la bibliothèque
la patinoire

D

Écoutez la cassette.
Sortent-ils *souvent*, *de temps en temps*, ou *jamais*?
Qui parle à chaque fois?

Exemple: **c** = 1.

a Je ne vais jamais au cinéma.

b Moi, je vais de temps en temps à la bibliothèque.

c Je vais souvent au concert. J'aime ça!

d Je ne vais jamais à la patinoire.

e Je vais de temps en temps chez Nadine.

f Je ne vais jamais à la discothèque.

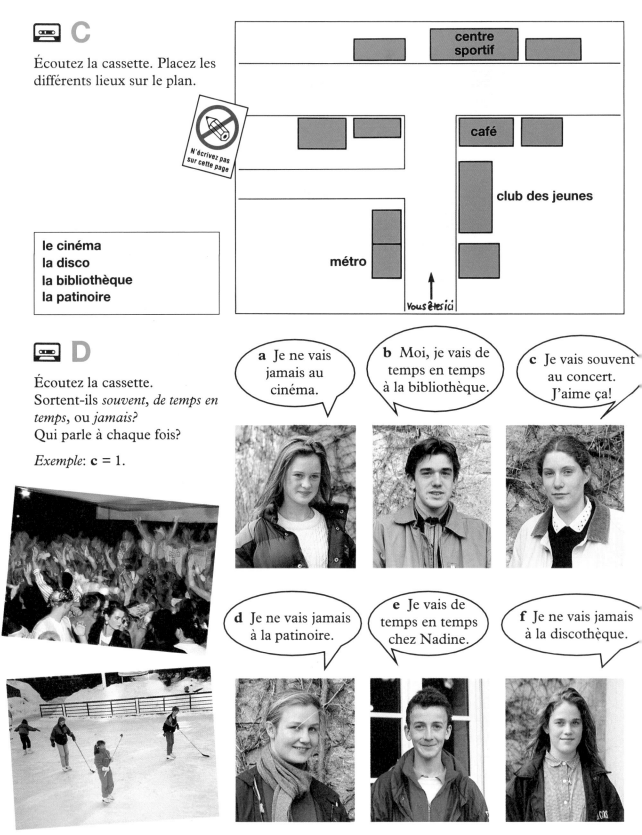

E

Parlez.
Travaillez avec un(e) partenaire.
Vous êtes très curieux. Demandez à vos ami(e)s:

Partenaire A Tu vas souvent en boum?
Partenaire B Oui, souvent.

Regardez les petits carrés pour vous aider.

souvent
de temps en temps
jamais*
une fois par semaine

*Regardez le 'Flash-Grammaire' à la page 134

à une soirée

au ciné

au concert

à la discothèque

faire du patinage sur glace

jouer aux boules

au club des jeunes

jouer au tennis

au centre sportif

Les sorties

F

Faites un sondage dans votre classe.

Nom des élèves	ciné	concert	théâtre	centre sportif	disco

Posez des questions à vos camarades. Inscrivez leurs réponses.

Quatre expressions suffisent: *souvent, de temps en temps, jamais, une fois par semaine.*

Présentez votre fiche sondage à votre classe.

Exemple: Andy va **souvent** au ciné.

Kate **ne** va **jamais** au club des jeunes.

Aide-Mémoire

On se retrouve ... *Let's meet* ...
à la gare *at the station*
à la maison *at the house*
au café *at the cafe*
au métro *at the Underground*
devant le cinéma *in front of the cinema*
derrière la disco *behind the disco*
chez Nadine *at Nadine's house*
à côté du club des jeunes *next to the youth club*
rue St Martin *in St Martin's Road*

Où? *Where?*
À quelle heure? *At what time?*
Quand? *When?*

combien de fois? *how often?*
souvent *often*
de temps en temps *from time to time*
jamais *never*
une fois par semaine *once a week*

Flash-Grammaire

Negatives

Did you notice how to say that you *don't* like something, or that you *never* do something in French? For example:

Je **n**'aime **pas** les westerns! *I don't like Westerns!*
Je **ne** vais **jamais** au cinéma! *I never go to the cinema!*

You have to use two words – **ne** and **pas**, or **ne** and **jamais**. These two words have to be placed around the verb, like a sort of grammatical sandwich! For example:

Elle **ne** va **jamais** à la discothèque.
Il **ne** fait **pas** ses devoirs.
Nous **ne** jouons **pas** au football.
Je **n**'écoute **jamais** la radio.

The first part of the negative sandwich – **ne** – sometimes gets shortened to **n'** if the next word starts with a vowel (**a, e, i, o, u**).

Exercice: les petits diables
Martin et sa sœur jumelle sont complètement différents.
Ce que Julie aime, Martin déteste.
Ce que Martin aime faire, Julie déteste faire.
Complétez les phrases.

1. Julie va au parc, mais Martin ...
2. Martin aime le tennis, mais Julie ...
3. Julie regarde la télé, mais son frère ...
4. Martin fait du vélo, mais sa sœur ...
5. Julie joue au football, mais Martin ...
6. Martin écoute souvent la radio, mais Julie ...

Testez votre mémoire

À vous maintenant!

Choisissez une activité
        un jour
            une heure
où vous vous retrouvez et invitez vos ami(e)s. . .

Les sorties

Coin lecture

Qui doit décider des sorties, toi ou lui?
toi ou elle?

1 Lisez ces articles et trouvez de qui on parle.

Garçons Filles

Qui doit décider des sorties?

Vous voulez aller au cinéma voir le dernier film, mais lui préfère aller au match de foot . . . Qui doit céder?

EUX
Jean-Pierre, 15 ans et demi:
"Arriver à trouver un équilibre"
Avec ma petite amie, on est d'accord pour les mêmes sorties. J'aime le foot. Elle n'aime pas trop ça, mais elle m'accompagne.

Nous, c'est facile. Une semaine il décide et on va au concert. L'autre semaine c'est moi qui décide et on va au parc d'attractions. J'adore ça.
Nadine

ELLES
Catherine, 14 ans:
"Pas facile d'accorder nos violons"
Je me dispute très souvent avec mon petit ami. Moi j'adore aller au cinéma, mais lui n'aime que la télé! J'adore danser, il a horreur de ça... Pas facile d'accorder nos violons.

C'est moi qui décide. Je l'emmène écouter des disques ou au cinéma (pas besoin de parler).
Philippe

Qui est-ce?
1. Elle adore aller au cinéma et danser. Lui déteste danser.
2. Une fois ils vont au concert, une autre fois ils vont au parc d'attractions.
3. Il aime le foot, elle pas trop.
4. C'est lui qui décide. Ils écoutent des disques ou ils vont au ciné.

2 À vous maintenant!
Parlez. Écrivez.
Qui décide des sorties? Où allez-vous?
Écrivez un petit article comme Nadine ou Philippe.

Faites des phrases comme:

Moi, j'aime aller au cinéma, mais lui n'aime pas le cinéma.
Moi, j'adore écouter des disques, mais elle déteste la musique.

C'est le garçon qui décide le plus ou la fille?

Flash-Grammaire

If you want to really stress *who* is doing something in French, then you use a special word rather than the ordinary **je**, **tu**, **il**, **elle**, etc.
To stress the person you are talking about, you use **moi**, **toi**, **lui** and **elle**. For example:

Moi, j'adore aller au cinéma! *Me, I love going to the cinema!*
Lui n'aime que la télé! ***He** only likes the television!*
Et **toi**, qu'est-ce que tu veux faire? *And you, what do **you** want to do?*
D'habitude, c'est **elle** qui décide. *Usually it's **she** who decides.*

G *Le jeu des sorties*

Répondez par *oui* ou par *non*.

1. Aimes-tu aller au ciné?
oui/non

5. Aimes-tu aller au concert? *oui/non*

2. Aimes-tu sortir en famille?
oui/non

3. Aimes-tu rester à la maison?
oui/non

6. Aimes-tu sortir avec des
copains/copines? *oui/non*

8. Aimes-tu les boums?
oui/non

Notez votre score.
Si tu as cinq 'non' tu es trop
sérieux/se.
Si tu as au moins six 'oui' tu
es branché(e) – tu aimes
sortir.

4. Aimes-tu aller au centre
sportif? *oui/non*

7. Aimes-tu aller au parc?
oui/non

À vous maintenant!
Faites votre 'Jeu des sorties'.

*info*CULTURE

Enquête: les ados et les sorties
Regardez cette enquête.
Quelles sont les sorties préférées des adolescents?

Sorties	Réponses des ados (%)
théâtre	30%
cinéma	50%
musique classique	40%
cirque	35%
concert	70%
centre sportif	70%
boum	85%
restaurant	60%
télé	80%
bowling	65%

1. Regardez cette enquête des sorties.
   Quelle est la sortie préférée des ados?
2. Faites le Top 10 des sorties.
   Exemple: La boum c'est le numéro 1.
3. À vous maintenant!
   Faites votre 'Top 10' des sorties.

H

Parlez-nous de vos sorties.
Sortez-vous souvent?
Qu'aimez-vous faire?
Est-ce que vous sortez seul(e) ou avec vos camarades?
Répondez aux questions.

Toi

1. **Qu'aimes-tu faire?**

2. **Quand sors-tu?**
   tous les jours / une fois par semaine/ une fois par mois / le week-end

3. **Qu'est-ce que tu n'aimes pas faire?**

On veut tout savoir sur vous. Répondez-nous!

Testez votre mémoire

Le puzzle des sorties.

GARE	RESTAURANT	VELO	BOUM
CAFE	MAISON	CIRQUE	DEVOIRS
SPORT	DISCO	CINEMA	COLLEGE
BIBLIOTHEQUE	PARC	TELE	
SOIREE	PATINOIRE	THEATRE	

N'écrivez pas sur cette grille

Z	B	G	A	R	E	P	Q	A	B	D	F	O	M	J	J	T
Y	S	M	O	R	T	Q	M	N	A	C	H	I	L	R	Q	E
B	I	B	L	I	O	T	H	E	Q	U	E	N	S	E	P	L
L	P	I	K	H	B	C	A	F	E	M	S	R	T	S	E	E
E	M	M	Q	R	S	I	W	Z	A	Y	I	Q	P	T	S	D
Z	D	A	G	G	M	N	P	R	T	O	U	K	E	A	V	Z
B	Y	K	I	K	H	E	Z	G	V	V	W	G	Y	U	R	Q
P	V	G	L	S	M	M	R	E	T	F	E	E	B	R	W	C
A	E	I	U	W	O	A	D	L	K	L	M	Q	Z	A	D	M
P	L	E	F	J	L	N	N	O	L	R	U	Z	Q	N	K	M
F	O	I	J	N	P	Q	T	O	V	B	E	C	M	T	L	G
D	E	H	P	Q	T	S	C	R	D	C	V	Z	Y	X	A	B
U	A	V	B	G	E	S	C	T	C	I	R	Q	U	E	D	S
T	H	E	A	T	R	E	P	S	L	M	P	T	Z	A	S	P
D	F	H	V	C	I	A	U	Q	O	J	X	D	Y	F	Z	O
W	C	L	M	N	O	O	B	Q	D	I	S	C	O	B	K	R
K	M	U	K	P	X	Q	O	I	N	P	R	J	S	A	T	T
H	O	J	L	B	T	H	W	E	O	Q	R	E	Y	M	U	R
B	I	P	A	T	I	N	O	I	R	E	F	R	E	X	N	G

Regardez ce puzzle. Identifiez les sorties, puis écrivez-les.

POUR VOUS AIDER

Objectifs

Donner un jour, une heure et un lieu de rencontre *To give a day, an hour and a meeting place*

Demander et dire ce que l'on va faire, et ce que l'on aime/déteste faire *To ask and say what you are going to do and what you like/hate doing*

de la page 129 à la page 138

On se retrouve où? *Where shall we meet?*

Ils discutent de leur rendez-vous *They are discussing where to meet*

Ne vous perdez pas! *Don't get lost!*

N'oubliez pas d'utiliser ces trois mots *Don't forget to use these three words*

Placez les différents lieux sur le plan *Put the different places on the map*

Regardez les petits carrés *Look at the little boxes*

Qui doit décider des sorties, toi ou lui? *Who should decide where to go, you or him/her?*

C'est le garçon qui décide le plus? *Does the boy decide more often?*

Le jeu des sorties *The 'going out' game*

Tu es branché(e) *You're 'with it'*

Enquête: les ados et les sorties *Survey: adolescents and outings*

Parlez-nous de vos sorties *Tell us about your outings*

C'EST TON PROFIL

Coche ce que tu as appris.

Maintenant je peux . . .

bien *moyen* *pas très bien*

Maintenant je peux . . .	bien	moyen	pas très bien	page
demander et comprendre: Tu veux aller au ciné?/ à la patinoire?; Tu veux faire un pique-nique?	☐	☐	☐	110
accepter ou refuser une invitation et dire: Oui, bonne idée/ Non merci, ça ne me dit rien	☐	☐	☐	110
donner et comprendre une excuse, e.g. Je dois aller chez le dentiste/ me laver les cheveux	☐	☐	☐	111
demander: Qui doit aller chez le dentiste?; Qui a la grippe?	☐	☐	☐	112
dire et comprendre ce que chacun doit apporter, e.g. Moi, je dois apporter . . ./ Toi, tu dois apporter . . .	☐	☐	☐	116
demander: Que dois-tu apporter?	☐	☐	☐	117
dire et comprendre: J'ai vérifié la pression des pneus/ les freins; J'ai pris un chapeau	☐	☐	☐	119
demander: quel moyen de transport préfères-tu?, et comprendre: Je préfère l'avion/ le train, etc.	☐	☐	☐	124
dire et comprendre: On se retrouve où?/ à quelle heure?/ quand?, et répondre: à la gare/ à 4 heures, etc.	☐	☐	☐	131
dire et comprendre: Je vais souvent/ de temps en temps . . .; Je ne vais jamais . . ., et demander: Tu vas souvent . . .?	☐	☐	☐	132
demander: Qui décide des sorties? et comprendre: C'est moi qui décide/ C'est lui qui décide	☐	☐	☐	136
écrire un petit article pour parler de mes sorties	☐	☐	☐	136

N'écrivez pas sur cette page

MODULE 9

Vive le ciné!

A

Aimez-vous le ciné?
Quels films aimez-vous?

1 Regardez et écoutez.

♥ les westerns

les dessins animés ♥

les polars ♥

♥ les films de science-fiction

♥ les films d'épouvante

les films comiques ♥

♥ les films d'aventures

♥ les films d'amour

2 Pourquoi?

C'est intéressant.

J'aime . . .

C'est amusant.

C'est passionnant.

J'aime l'histoire.

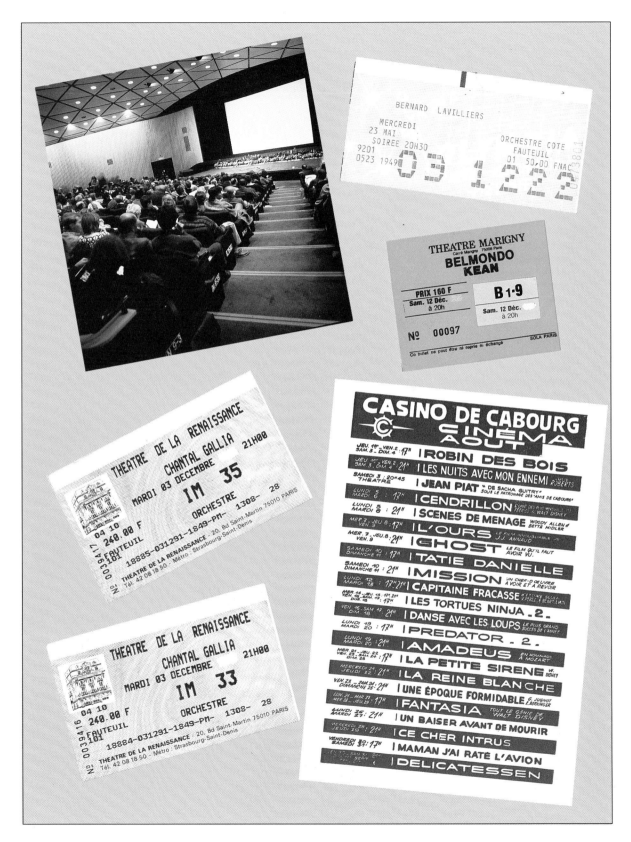

B

Écoutez ces conversations et
trouvez la bonne pendule
pour chacun de ces films.

a **Robin des Bois**
b **Autant en emporte le vent**
c **Carte verte**
d **Cyrano de Bergerac**
e **Le château de ma mère**

 C

À quelle heure commence le
film?
Copiez la grille dans votre
cahier.
Écoutez encore une fois
Activité B et écrivez vos
réponses dans votre cahier.

	heure	*film*
Personne 1		
Personne 2		
Personne 3		
Personne 4		
Personne 5		

N'écrivez pas sur cette grille

D

À vous maintenant!
1 Travaillez avec un(e) partenaire. Parlez.
Choisissez un jour, une heure et un film.
Donnez votre opinion. Regardez l'exemple à la page 144.

Quand?	lundi	le week-end dernier	samedi	hier
À quelle heure?	seize heures	treize heures	dix-sept heures	?
Film				
Opinions	J'ai adoré	J'ai détesté	Je n'ai pas aimé	C'était extra!

Vive le ciné!

Exemple:

Partenaire A   Quand es-tu allé(e) au ciné?
Partenaire B   Lundi.

Partenaire A   À quelle heure?
Partenaire B   À seize heures.

Partenaire A   Tu as aimé?
Partenaire B   Oui, j'ai aimé.

Puis changez de rôle.

2   Vous pouvez aussi faire un 'Loto' ciné.

 E

Les artistes ont eux aussi leurs films préférés.
Écoutez la cassette et lisez les phrases.
Qui parle à chaque fois?
Pour vous aider, regardez les noms des artistes sur le hit-parade cinéma.

F

Parlez.
Choisissez trois films que vous aimez et trois films que vous n'aimez pas.
Dites-le à votre camarade et dites aussi pourquoi.

G

À vous maintenant!
Connaissez-vous bien les films préférés de vos artistes?
Faites un gros plan sur votre artiste préféré(e).

HIT-PARADE

1. Moi, j'aime bien les films d'amour. J'ai vu *Cyrano de Bergerac*. (*Patrick Bruno*)
2. Moi, j'adore les films d'épouvante. J'ai vu *Les cauchemars de Freddie*. (*Mylène Cooper*)
3. J'aime assez les dessins animés. J'ai vu *Astérix et le coup du Menhir*. J'ai beaucoup aimé ça. (*Stéphanie Roch*)
4. J'aime les polars. J'ai vu *Ripoux contre Ripoux* – c'était génial! (*Buzz*)
5. J'adore les films comiques! J'ai vu *Les dieux sont tombés sur la tête*. C'était rigolo . . . (*Lenny Collins*)
6. J'aime passionnément les films de science-fiction. J'ai vu *Retour vers le Futur 3*. J'ai adoré ça. (*Jean-Michel Feldman*)

Son prénom est _____   **SA PHOTO**

Son nom est _____

L'année de sa naissance est _____

La ville où il est né/elle est née est _____

Son film préféré est _____

CINEMA LE DRAKKAR
6, rue du Général de Gaulle
14160 Dives-sur-Mer

A.E.P. CULTURE ET LOISIRS CINEMATOGRAPHIQUES Tél. : 91-18-84
Association à but non lucratif · Loi de 1901

Salle «ART et ESSAI» Catégorie A

DOLBY STEREO   DOLBY STEREO

AOUT – SEPT.

EN AVANT PREMIERE   EN AVANT PREMIERE au DRAKK
(Sortie à Paris le 14 Août)

WALT DISNEY présente
le tout nouveau DESSIN A

MER 31 Juillet à 17H30 et 21H
JEU 1er Août à 18H45 et 21H
VEN 2 à 17H30
SAM 3 à 18H45

LA BANDE A PICSOU

Art et Essai   Isabelle HUPPERT

VEN 2 Août à 21H MADAME BOVARY
SAM 3 à 21H

de Claude CHABROL

SELECTION OFFICIELLE CANNES 91
J.F. STEVENIN et P. BOUCHITEY

ART ET ESSAI   LA LUNE FROIDE

LUN 5 à 18H45   de Patrick BOUCHITEY
MAR 6 à 21H

ART ET ESSAI   Charlotte GAINSBOURG

LUN 5 à 21H   MERCI LA VIE
MAR 6 à 18H30

de Bertrand BLIER

Coeur Ardent

ALAIN DELON   LINO VENTURA

créteil

LES AVENTURIERS
UN FILM DE
ROBERT ENRICO

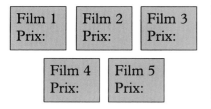

H

L'entrée coûte combien?
Écoutez ces conversations.
Ils discutent des prix des
places.
Écrivez le prix des places
pour chaque film.

| Film 1 Prix: | Film 2 Prix: | Film 3 Prix: |
| Film 4 Prix: | Film 5 Prix: |

Quel film vont-ils choisir? Ils
ont 25 francs en poche.

Vive le ciné!

Aide-Mémoire

Quels films aimez-vous? *What kind of films do you like?*
les films d'épouvante *horror films*
les films comiques *comedy films*
les films d'amour *romantic films*
les films d'aventures *adventure films*
les films de science-fiction *science fiction films*
les westerns *westerns*
les polars *thrillers*
les dessins animés *cartoons*

Aimez-vous le ciné? *Do you like the cinema?*
Pourquoi? *Why?*
C'est intéressant *It's interesting*
C'est amusant *It's fun*
C'est passionnant *It's exciting*
J'aime l'histoire *I like the story*

Le film commence à quelle heure? *When does the film start?*
L'entrée coûte combien? *How much is it to get in?*

I

Écoutez la conversation.
Alexandre parle du film qu'il a vu.
Écoutez et choisissez la bonne phrase, **a** ou **b**.

1. **a** un film d'aventures
   b un dessin animé
2. **a** Il commence à deux heures.
   b Il commence à dix-sept heures.
3. **a** 25 francs l'entrée
   b 35 francs l'entrée
4. **a** intéressant
   b ennuyeux
5. **a** Le cinéma est à côté de la gare.
   b Le cinéma est devant la discothèque.

Dessin animé

C'est un petit garçon qui s'appelle Kimboo. Il a ton âge et il vit en Côte - d'Ivoire, en Afrique. Il fait partie d'un groupe de musique, et ses aventures vont le transporter jusqu'aux Etats - Unis...
Ce formidable dessin animé est joli, tendre et drôle. La musique est superbe! Il a été entièrement fabriqué en France, sur les conseils de spécialistes de l'Afrique. A voir et à écouter à tout prix !

"Kimboo". Tous les jours sur FR3 à 19 h 55.

J

Parlez.
Quels films aimez-vous *un peu/bien/beaucoup/passionnément?*
Regardez ce sondage.
La dernière ligne est pour vous.
Remplissez-la, puis faites des phrases.

	Films d'aventures	*Dessins animés*	*Polars*	*Science-fiction*	*Épouvante*
Lucy	bien	un peu			passionnément
Jean	beaucoup		un peu		
Farid		passionnément		bien	
Michie			beaucoup		
Nicole	beaucoup			un peu	bien
Vous					

N'écrivez pas sur cette grille

Exemple: Lucy aime bien les films d'aventures.
Moi, j'aime un peu . . .

K

Lisez 'On aime' à la page 147.
Donnez au moins deux détails sur chaque film.

ON AIME :	un peu 🐭🐭	bien 🐭🐭🐭	beaucoup 🐭🐭🐭🐭	passionnément
🐭🐭🐭	**Les Indians.** Comédie, à partir de 8 ans. Film de David Ward avec Charlie Sheen. Rien ne va plus chez les joueurs de base-ball : une équipe de ringards s'est mise en tête de gagner un super match !...			
🐭🐭🐭🐭	**Oliver et Compagnie.** Dessin animé de Walt Disney, pour tous. Les folles aventures d'un chaton orphelin adopté par une bande de chiens new-yorkais.			
🐭🐭🐭	**Une saison blanche et sèche.** Comédie dramatique, à partir de 12 ans. Film d'Euzhan Palcy, avec Donald Sutherland. Un film assez dur sur les problèmes entre noirs et blancs en Afrique du Sud.			
🐭🐭🐭🐭	**Indiana Jones et la dernière croisade.** Aventure, pour tous. Film de Steven Spielberg avec Harrison Ford. Les derniers exploits de notre aventurier préféré avec son fouet, son chapeau et... sa cicatrice au menton !			

L

Lisez 'les Schtroumpfs arrivent!' et répondez aux questions par *oui* ou par *non*.

Cinéma: les Schtroumpfs arrivent!

Ils sont schtroumpfement schtroumpfs, non!

Vous connaissez tous les Schtroumpfs. Ce sont des petits lutins très malins. Ils ont été créés par le dessinateur belge Peyo. Pour Pâques, un dessin animé sort sur les écrans de cinéma. Il s'appelle «Les p'tits Schtroumpfs»

Dans ce dessin animé, il y a six nouveaux Schtroumpfs. Peyo a dit qu'il va bientôt créer une grand-mère Schtroumpf.

Ces petits lutins existent depuis trente ans. Ils sont nés en 1958. Depuis ils ont eu un succès fou dans le monde entier. Ils ont d'ailleurs des noms différents selon les pays.

En France et au Portugal on les appelle les Schtroumpfs. On dit Smurfs en anglais et en hollandais, Pitufos en espagnol, Puffi en italien et Sumafu en japonais.

«Les P'tits Schtroumpfs» est le quatrième film. Il a été produit (fait) par Jean Dutillieux dans les studios d'Hollywood aux USA avec l'aide de Peyo.

Depuis sept ans, 1100 personnes travaillent sur les dessins animés des Schtroumpfs. Aux États-Unis, il y a même des dessins animés des Schtroumpfs à la télévision.

Le premier dessin animé a été créé en 1973. Il s'appelait «La flûte à six Schtroumpfs». Depuis, il y a eu «V'là les Schtroumpfs», «Le bébé Schtroumpf» et «Les p'tits Schtroumpfs».

Vous savez ce qu'il vous reste à faire si vous ne savez pas quoi schtroumpfer pendant les vacances . . . !

1. Le premier dessin animé a été créé en mil neuf cent soixante-seize. *oui/non*
2. Ce sont des petits lutins. *oui/non*
3. Ils sont nés en 1968. *oui/non*
4. En anglais, ils s'appellent les Pitufos. *oui/non*
5. Le papa des Schtroumpfs s'appelle Peyo. *oui/non*
6. Il est italien. *oui/non*

Combien de 'non' avez-vous? Donnez la bonne réponse.

Vive le ciné!

Un peu de culture

Connaissez-vous Charlot et le cinéma muet?

Qui est Charlot?

1 Lisez 'Les grands hommes' et faites son profil.

PROFIL

En 1920 _____

En 1933 _____

En 1972 _____

En 1977, le 25 décembre _____

N'écrivez pas sur cette grille

---

2 Charlot a laissé plus de soixante-dix films.
Faites des recherches et trouvez le nom des films les plus célèbres.

LES GRANDS HOMMES

Charles Chaplin a créé Charlot, un héros du cinéma muet, connu dans le monde entier. Chaplin est un poète du monde moderne. En voyant ses films, on ne sait pas si on a envie de rire ou de pleurer...

En 1920, Chaplin tourne un nouveau film : « Le kid ». Il s'inspire de son enfance pour raconter l'histoire d'un vagabond et d'un petit orphelin.

Dans ce film, Chaplin fait tout : auteur, acteur et réalisateur. C'est la première fois que Charlot fait rire et pleurer à la fois. C'est un triomphe!

En 1933, en Amérique, c'est le début des films parlants. Pourtant Charlie tourne encore un film muet : « Les temps modernes ». Comme il est aussi un grand musicien, Charlie compose lui-même une bande musicale pour accompagner le film.

En 1972, Charlie Chaplin a plus de quatre-vingts ans. Il vit en Suisse, mais revient aux États-Unis pour recevoir un prix pour toute son œuvre.

Charlie meurt le 25 décembre 1977, le jour de Noël! On peut le retrouver dans les films qu'il nous a laissés : plus de soixante-dix!

Le saviez-vous . . . ?

Il y a un calendrier des festivals cinématographiques:

En janvier: le festival d'Avoriaz.
Films de science-fiction, films d'horreur.

En mai: le festival de Cannes.
C'est le festival le plus important.
Le meilleur film reçoit 'la Palme d'Or.'

En juin: un festival pour les jeunes – une grande fête du dessin animé.

En septembre: le festival de Deauville.
Réservé aux films américains . . .

Il y a encore un festival.
Faites des recherches, ou demandez à votre professeur.
Vous devez donner le mois et le titre du festival!

4 JUIN: LE CINÉMA FAIT LA FÊTE

Retenez la date: 4 juin. C'est un jeudi. Vous pourrez voir cinq films pour le prix d'un. C'est la journée nationale du cinéma. La fête! Vous entrez dans un cinéma et achetez un billet. Il est valable pour les séances de 16 heures, 18 heures, 20 heures et 22 heures dans les cinémas qui participent à la fête.

Vive le ciné!

POUR VOUS AIDER

Objectifs

Exprimer son appréciation *To express your appreciation*
Donner son avis et demander l'avis de quelqu'un *To give your opinion and ask someone's opinion*
Vive le ciné! *Long live the cinema!*

de la page 143 à la page 145

Trouvez la bonne pendule pour chacun de ces films *Find the right clock for each of these films*
Les artistes ont eux aussi leurs films préférés *The stars have their favourite films too*
Qui parle à chaque fois? *Who is speaking each time?*
Ils discutent des prix des places *They are discussing the price of seats*
Quel film vont-ils choisir? *Which film are they going to choose?*

Ils ont 25 francs en poche *They have 25 francs in their pocket*

de la page 146 à la page 149

Alexandre parle du film qu'il a vu *Alexandre is talking about the film he has seen*
Les Schtroumpfs arrivent! *The Smurfs are here!*
Le premier dessin animé a été créé *The first cartoon was made*
Ce sont de petits lutins *They are little imps*
Connaissez-vous Charlot et le cinéma muet? *What do you know about Charlie Chaplin and silent films?*
Il a laissé plus de soixante-dix films *He has left more than seventy films*
Il y a encore un festival *There is another festival*

MODULE 10

Un look d'enfer

Objectifs

Demander, dire et comprendre ce que l'on va mettre pour chaque activité.

Demander, dire et comprendre la couleur de quelque chose.

Parler de ce que l'on aime/préfère/collectionne.

Demander ce que quelqu'un aime/préfère/collectionne.

À chaque sortie, sa tenue

On vous invite à faire du roller dans un parc. Qu'allez-vous mettre?
Vous allez choisir un jogging, un T-shirt, et des tennis?
ou un jean, un sweat-shirt et des baskets?
ou une chemise, une mini-jupe et des ballerines?

Un look d'enfer

 A

Écoutez.
Damien et Létissia fouillent leur garde-robe.
Quels vêtements vont-ils mettre?
Écoutez les conversations et cerclez les numéros correspondants.

N'écrivez pas sur cette page

B

Écoutez.
Vous allez entendre Damien, Létissia, Djamel, Michie et Luc.
Écoutez-les bien. Cochez la grille ci-dessous. Indiquez ce qu'ils mettent.

	Damien	Létissia	Djamel	Michie	Luc
un jogging					
un sweat-shirt					
un body					
des baskets					
une mini-jupe					
un jean					
un short					
des lunettes de soleil					
une veste					
une casquette					
une chemise					
un T-shirt					

N'écrivez pas sur cette grille

C

Parlez.

Formez des groupes de quatre. Choisissez des prénoms et dites à vos camarades ce que vous allez mettre.

Exemple:

A   Que vas-tu mettre aujourd'hui?

B   Moi, je vais mettre un jogging, des baskets, des lunettes, une casquette et un T-shirt.

Qui est-ce?

C'est Damien.

Regardez votre grille et notez ce que la grille vous apprend.

Exemple: Michie va mettre un short.

D **Les douze–seize ans et leurs vêtements**

Posez des questions puis écrivez.

1 Posez des questions à vos camarades de classe, vos professeurs et vos voisin(e)s sur leur choix de vêtements. Qu'aiment-ils mettre?

Patrick aime les T-shirts.

Sophie aime les mini-jupes.

Exemple:

Vous   Qu'est-ce que tu aimes/vous aimez mettre?

2 Faites une liste pour montrer qui aime quoi. Écrivez vos résultats.

Exemple: 70% de la classe aiment les jeans.

📼 E *Que vont-ils mettre?*

Écoutez et suivez.

1. Pour aller à la plage je vais mettre . . .

un transistor
une casquette
un T-shirt
un bermuda
des patins à roulettes

2. Pour aller en boum je vais mettre . . .

des boucles d'oreille
une chemise
une ceinture
une mini-jupe
des ballerines

porte-clefs

Un look d'enfer

3. Pour aller au concert je vais mettre . . .

- des lunettes Ray-Ban
- une cravate
- un peigne
- une veste longue
- un pantalon étroit

5. Pour aller au collège je vais mettre . . .

- une casquette
- une chemise
- une veste
- une salopette

4. Pour aller au tennis je vais mettre . . .

- un T-shirt
- un short
- des chaussettes blanches
- des baskets

6. Pour aller au parc d'attractions je vais mettre . . .

- des cheveux teints
- des lunettes noires
- un T-shirt
- un blouson
- un jean
- des baskets

F

À vous maintenant!
Parlez et écrivez.
Quels vêtements aimez-vous porter quand vous sortez?
Choisissez votre vêtement, puis votre activité.

une casquette   un pantalon

un T-shirt   un body

une mini-jupe   un sweat-shirt

un bermuda   des baskets

un jean   un blouson

un short

une jupe/une robe

des patins à roulettes

une chemise

des lunettes de soleil

un jogging/un survêtement

un peigne

un maillot

de la gomina

une cravate

un cycliste

Exemple:

Partenaire A   Pour le tennis, qu'est-ce que tu vas mettre?

Partenaire B   Je vais mettre un short, un T-shirt blanc et des baskets.

Un look d'enfer

G *Les étourdis*

Regardez tous ces gens qui n'ont pas la bonne tenue. Aidez-les à retrouver leurs vêtements.
Décrivez chaque situation.

Exemple:

1. Il porte un maillot pour aller au cinéma.

2.
....

3.
....

4.
....

5.
....

6.
....

1.

4.

2.

5.

3.

6.

Flash-Grammaire

How to say what you are going to do

If you want to tell someone what you are *going* to do, *going* to wear, etc., there is an easy way to do it in French.

You simply use the verb *aller* together with the infinitive of the other verb which says *what* you are going to do. For example:

Je vais mettre un T-shirt. *I'm going to put on a T-shirt.*
Tu vas mettre ton pull? *Are you going to put on your pullover?*
Il va aller à la plage. *He's going to go to the beach.*
Elle va voir un film. *She's going to see a film.*
Nous allons regarder la télé. *We're going to watch television.*
Vous allez faire des courses? *Are you going to go shopping?*
Ils vont jouer au tennis. *They're going to play tennis.* (boys)
Elles vont nager. *They're going to swim.* (girls)

Exercice
Regardez tous ces gens. Que vont-ils faire?
Écrivez la bonne phrase à chaque fois.

1.

2.

3.

4.

5.

6.

H Le défilé de mode

Écoutez.
À chaque activité sa tenue.
Écoutez la cassette et remplissez la grille.

	Vêtements	Activités
Personne 1		
Personne 2		
Personne 3		
Personne 4		
Personne 5		

N'écrivez pas sur cette grille

| 1 | 2 | 3 | 4 | 5 |

I 'Les frimeurs'

Regardez ce que portent Germaine et Victor et faites des phrases.
Suivez l'exemple.

Exemple: Germaine porte une mini-jupe jaune.

des boucles d'oreille
des lunettes de soleil
un pull vert
un T-shirt rouge
une bague
une ceinture bleue
une mini-jupe jaune
un jean
des chaussettes blanches
des baskets

Germaine   **Victor**

J Entraînement

Lisez et écrivez.
Il y a quelque chose qui ne va pas.
Mais quoi?

Lisez les phrases. Regardez les dessins et complétez les phrases.

1. Ce matin, je suis allé à l'école ....

2. Hier, Superman est allé aux États-Unis en ....

....

3. Les sœurs jumelles sont allées à la piscine avec ....

....

4. Ce matin, j'ai mis .... pour faire du ski.

5. Cette dernière ligne est pour vous.
   Écrivez une phrase ou deux. Illustrez vos phrases.

....

• Donnez un titre: *Les distraits* . . .

Coin lecture

Vous craquez pour le look d'une vedette . . .
Lisez 'À la manière de Dana Dickson' et faites une liste de ce qu'elle aime mettre.

À la manière de Dana Dickson

Les petits riens font tout, côté 'look'. Dana aime tout ce qui est confortable: 'J'adore les jeans, les sweat-shirts, les T-shirts et les blousons de cuir. En hiver, j'aime porter les grands manteaux'.

Question couleurs, Dana a une passion pour le noir, mais elle aime aussi le rouge, le gris et le blanc.

Son péché mignon? – les chapeaux dont elle fait une collection.

"J'adore le noir, les jeans, les T-shirts et les blousons de cuir..."

CONFORT ET DECONTRACTION :

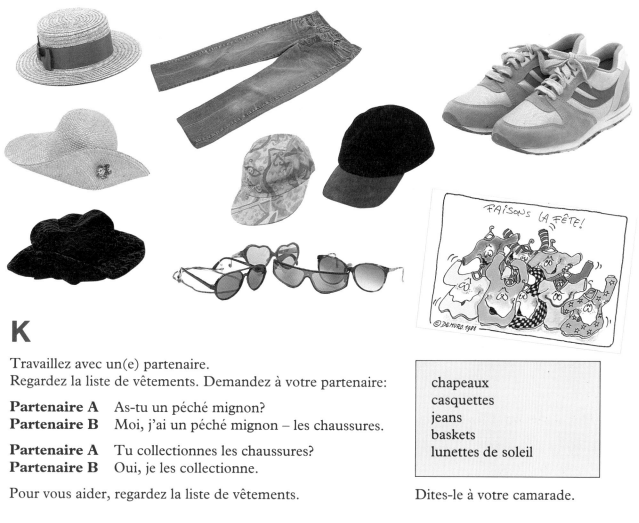

K

Travaillez avec un(e) partenaire.
Regardez la liste de vêtements. Demandez à votre partenaire:

Partenaire A   As-tu un péché mignon?
Partenaire B   Moi, j'ai un péché mignon – les chaussures.

Partenaire A   Tu collectionnes les chaussures?
Partenaire B   Oui, je les collectionne.

Pour vous aider, regardez la liste de vêtements.

chapeaux
casquettes
jeans
baskets
lunettes de soleil

Dites-le à votre camarade.

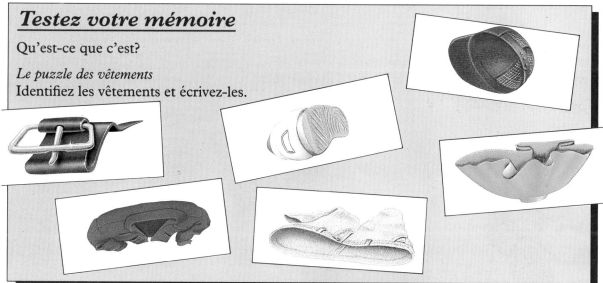

Testez votre mémoire

Qu'est-ce que c'est?

Le puzzle des vêtements
Identifiez les vêtements et écrivez-les.

L *La petite boutique de Spirale*

1 Regardez la petite boutique de *Spirale*. Dites à votre partenaire quel est votre péché mignon.

Exemple: Moi, mon péché mignon, ce sont les ceintures.

1. **Irrésistibles casquettes!**
En vente dans les grands magasins.
Prix: 150F.

4. *Accessoires de sport – les baskets et les cyclistes.*
En vente aux Galeries Lafayette.
Prix: 250F.

2. *Badges, ceintures, porte-clefs.*
En vente au Monoprix.
Prix de 100F à 170F.

5. **Monoprix va vous tenter!**
Chapeaux, salopettes et chaussures de toutes les couleurs.
Ne ratez pas la journée 'coup de soleil'.
Lundi 15 juin.

3. Vous allez craquer pour le sac à dos Benetton.
Sac à dos en daim de toutes les couleurs.
Pour l'école, pour sortir . . .
Son prix: 390F.

2 Regardez les petites annonces. Dites à vos camarades de quoi il s'agit en anglais.
Discutez avec vos camarades.
Qui a trouvé le plus de renseignements?
Notez votre score – un point pour chaque renseignement.

Aide-Mémoire

la bonne tenue *the right outfit*
Qu'est-ce que tu vas mettre?
   What are you going to wear?
Je vais mettre . . . *I'm going to wear . . .*
un pantalon *a pair of trousers*
un jogging
un survêtement } *a tracksuit*
un T-shirt *a T-shirt*
un jean *a pair of jeans*
un sweat-shirt *a sweatshirt*
un short *a pair of shorts*
un cycliste *cycling shorts*
un bermuda *a pair of bermuda shorts*
un maillot *a swimming costume*
un pull *a pullover*
une veste *a jacket*
une jupe *a skirt*
une robe *a dress*
une chemise *a shirt*
une ceinture *a belt*
une casquette *a cap*
une cravate *a tie*
une salopette *a pair of dungarees*

des chaussures *shoes*
des baskets *trainers*
des ballerines *flat pumps*
des bottes *boots*
des chaussettes *socks*
un collant *tights*
un peigne *a comb*
des boucles d'oreille *earrings*

Quel est votre péché mignon?
What's your weakness?
Mon péché mignon, c'est . . . *My weakness is . . .*

M

Lisez.
Vous allez au Palace.
Que devez-vous mettre le 23 août et le 28 août?

N

Regardez la photo de Jean-Jacques.
Que porte-t-il?
Décrivez-le.

Vous Il porte . . .
Le connaissez-vous?

O *On joue*

Observez les dessins et complétez les phrases suivantes.

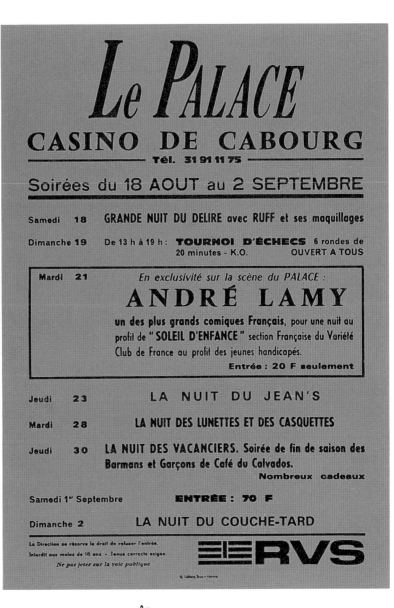

Le **PALACE**
CASINO DE CABOURG
Tél. 31 91 11 75
Soirées du 18 AOUT au 2 SEPTEMBRE

Samedi 18 GRANDE NUIT DU DELIRE avec RUFF et ses maquillages

Dimanche 19 De 13 h à 19 h : **TOURNOI D'ÉCHECS** 6 rondes de 20 minutes - K.O. OUVERT A TOUS

Mardi 21 En exclusivité sur la scène du PALACE :
ANDRÉ LAMY
un des plus grands comiques Français, pour une nuit au profit de " SOLEIL D'ENFANCE " section Française du Variété Club de France au profit des jeunes handicapés.
Entrée : 20 F seulement

Jeudi 23 LA NUIT DU JEAN'S

Mardi 28 LA NUIT DES LUNETTES ET DES CASQUETTES

Jeudi 30 LA NUIT DES VACANCIERS. Soirée de fin de saison des Barmans et Garçons de Café du Calvados.
Nombreux cadeaux

Samedi 1er Septembre **ENTRÉE : 70 F**

Dimanche 2 LA NUIT DU COUCHE-TARD

La Direction se réserve le droit de refuser l'entrée.
Interdit aux moins de 16 ans - Tenue correcte exigée.
Ne pas jeter sur la voie publique

RVS

1. Monsieur Legros porte . . .

2. Jennifer porte . . .

3. Paul porte . . .

N'écrivez pas sur cette page

4. Madame Tintin porte . . .

5. Blanche-neige porte . . .

6. Superman porte . . .

Un look d'enfer

P Observation et mémoire

Trouvez le nom des vêtements dans ce tracmots.

Q De toutes les couleurs

Faites un sondage couleur.
Demandez à vos camarades de classe quelle est leur couleur préférée.
Notez leur couleur et faites un résumé.

Exemple: Nina aime le bleu, mais elle n'aime pas le rouge.

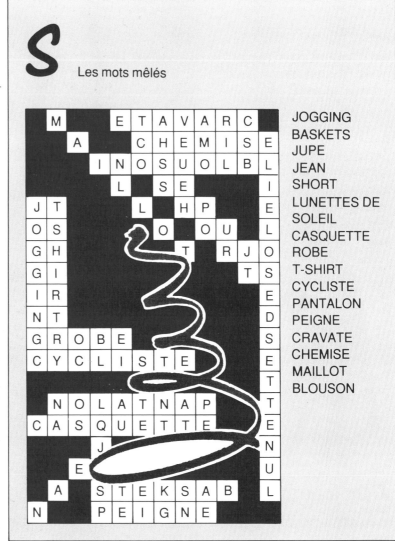

S Les mots mêlés

M		E	T	A	V	A	R	C	
	A		C	H	E	M	I	S	E
	I	N	O	S	U	O	L	B	L
	L		S	E				I	
J	T		L		H	P		E	
O	S			O		O	U	L	
G	H			T		R	J	O	
G	I						T	S	
I	R							E	
N	T							D	
G	R	O	B	E				S	
C	Y	C	L	I	S	T	E	E	
	N	O	L	A	T	N	A	P	T
C	A	S	Q	U	E	T	T	E	T
		J						E	N
	E							U	L
A		S	T	E	K	S	A	B	L
N		P	E	I	G	N	E		

JOGGING
BASKETS
JUPE
JEAN
SHORT
LUNETTES DE SOLEIL
CASQUETTE
ROBE
T-SHIRT
CYCLISTE
PANTALON
PEIGNE
CRAVATE
CHEMISE
MAILLOT
BLOUSON

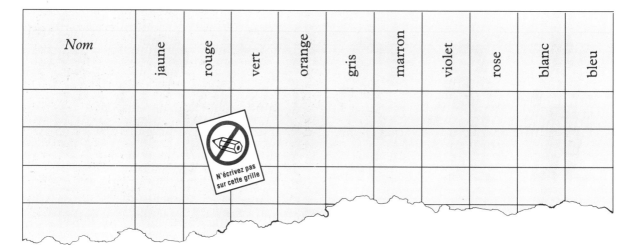

Nom	jaune	rouge	vert	orange	gris	marron	violet	rose	blanc	bleu

N'écrivez pas sur cette grille

R *Opération Afrique verte*

Des sacs, des ceintures pour aider les enfants qui souffrent . . .

Les gens du Sahel manquent de nourriture.
L'association 'Afrique Verte' vend des sacs-ceintures pour les aider.
Si vous achetez un sac à 35 francs, vous aiderez des enfants qui souffrent de la faim.

Et vous?
Donnez-vous des vêtements pour aider les enfants qui souffrent?
À quelles associations donnez-vous ces vêtements?
Quels vêtements avez-vous donnés?

S

Lisez cet article et répondez aux questions.
Vous avez un petit budget pour vos vêtements. Que pouvez-vous acheter pour:

1. 150 francs?
2. 200 francs?
3. 180 francs?

DES SACS POUR AIDER L'AFRIQUE

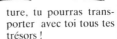

Chaque année, des habitants du Sahel souffrent de la faim en raison de la sécheresse : l'argent manque pour transporter la nourriture d'une région à l'autre. Pour les aider, l'association Afrique Verte vend des "sacs-ceintures".
Si tu achètes un sac, ton argent servira à transporter 100 kilos de mil sur 400 kilomètres. Et avec ce petit sac qui se porte comme une ceinture, tu pourras transporter avec toi tous tes trésors !

Pour commander un sac, envoie un chèque de 35 F (30 F + 5 F de port) à :
Afrique Verte,
49 rue de la Glacière,
75013 Paris.

Le rap, c'est tout une culture, une façon de parler, de penser, une mode "sport", car les rappeurs sont avant tout des sportifs.

RAP AU FÉMININ

Un cycliste en lycra noir (200 Frs),
un tee-shirt en lycra noir et blanc
Le Coq Sportif (365 Frs),
un blouson matelassé bicolore à capuche (420 Frs),
et des chaussures de boxe à lacets (558 Frs),
le tout signé Adidas.

RAP AU MASCULIN

Un sweet gris chiné à capuche (288 Frs),
un pantalon large "coupe-vent" avec fermeture à glissière qu'on laisse ouverte (180 Frs),
le tout Adidas. Le petit détail à ne pas oublier : la casquette avec visière arrière Torpédo (150 Frs)
Aux pieds, les célèbres Nike portées avec de grosses chaussettes de couleur vive.

T *Éducation musicale*

Connaissez-vous ces différentes sortes de musique?
Regardez la liste de noms.
Notez dans votre cahier le nom de chaque musicien.

> Elvis Presley
> Johann Strauss
> Jean-Michel Jarre
> Scott Joplin
> Mozart

Regardez ces costumes. Quel costume va avec quelle période
musicale?

U *Ma petite chanson*

Écoutez-vous parfois des chansons françaises que vous aimez pour leur rythme?

1 Écoutez cette chanson – elle est facile à comprendre.

2 À vous maintenant! Avez-vous du talent? Composez votre chanson. Commencez par: J'ai mis dans mon sac à dos . . . Allez voir votre prof de musique, empruntez un clavier électronique et composez votre musique!

Mon sac à dos

Dans mon sac à dos
Voilà ce que j'ai mis . . .
Deux ou trois maillots
Mon short, ma raquette
Et mon perfecto
Et ma casquette
Ma crème pour le nez
Des pompes pour les pieds
Dans mon sac à dos.

Dans mon sac à dos
Voilà ce que j'ai mis . . .
Deux ou trois chapeaux

Ta jolie photo
Quelques CDs
Et quelques BDs
Des pompes pour les pieds
Dans mon sac à dos.

Dans mon sac à dos
Voilà ce que j'ai mis . . .
Une photo d'un 'ex'
Une boîte de kleenex
Dico et dodo
Mon carnet d'adresses
Du papier à lettres
Car je suis HS.*

*HS: hors service

*info*CULTURE

Les pin's ou les épinglettes
Je collectionne
Tu collectionnes
Il collectionne
Elle collectionne . . .

C'est la folie des épinglettes!
À la récré, dans les concerts, en classe, en vacances . . .
Dans le monde de la mode, on ne parle que de ça.
En France en 1987 à Roland-Garros la mode des épinglettes a commencé.

Aujourd'hui, tous les jeunes ont leurs épinglettes:

- musicales
- sportives
- cinéma
- publicitaires

POUR VOUS AIDER

Objectifs

Demander, dire et comprendre ce que l'on va mettre pour chaque activité *To ask, say and understand what you are going to put on for each activity*

Demander, dire et comprendre la couleur de quelque chose *To ask, say and understand the colour of something*

Parler de ce que l'on aime/préfère/collectionne *To talk about what you like/prefer/collect*

Demander ce que quelqu'un aime/préfère/collectionne *To ask what someone likes/prefers/collects*

de la page 151 à la page 153

Un look d'enfer *A 'cool' look*
Qu'allez-vous mettre? *What will you put on?*
Damien et Létissia fouillent leur garde-robe *Damien and Létissia are going through their wardrobe*
Choisissez des prénoms et dites ce que vous allez mettre *Choose some first names and say what you're going to put on*
Faites une liste pour montrer qui aime quoi *Do a list to show who likes what*

de la page 156 à la page 158

Les étourdis *The scatterbrains*
Regardez tous ces gens qui n'ont pas la bonne tenue *Look at all these people with the wrong outfit on*
Aidez-les à retrouver leurs vêtements *Help them to find their clothes*

Vous arrive-t-il d'être étourdi(e)? *Are you sometimes scatterbrained?*
À chaque activité sa tenue *Each activity has its outfit*
Il y a quelque chose qui ne va pas *There's something wrong*
Vous craquez pour le look d'une vedette *You're desperate for that 'star' image*

de la page 160 à la page 165

Regardez la petite boutique de *Spirale*. Dites à votre partenaire quel est votre péché mignon *Look at the* Spirale *boutique. Tell your partner what your weakness is*
Regardez les petites annonces. Dites à vos camarades de quoi il s'agit *Look at the adverts. Tell your friends what they are about*
Qui a trouvé le plus de renseignements? *Who found out the most information?*
Faites un sondage couleur *Do a survey on colours*
Les gens du Sahel manquent de nourriture *The people of Sahel are short of food*
Vous aiderez des enfants qui souffrent de faim *You are helping starving children*
Quel costume va avec quelle période musicale? *Which costume goes with which musical period?*
Écoutez cette chanson – elle est facile à comprendre *Listen to this song – it's easy to understand*
Empruntez un clavier électronique *Borrow an electronic keyboard*

C'EST TON PROFIL

Coche ce que tu as appris.

Maintenant je peux . . .

	Si tu es prêt(e), tu coches ☑			Si tu ne peux pas, mets une croix ☒ et révise la page . . .
	bien	moyen	pas très bien	
dire et comprendre: J'aime les westerns/ les polars/ les dessins animés, etc., et donner des raisons	☐	☐	☐	141
dire et comprendre à quelle heure commence un film	☐	☐	☐	143
dire et comprendre: J'ai adoré/ J'ai détesté/ Je n'ai pas aimé/ C'était extra!	☐	☐	☐	143
dire et comprendre: Je suis allé(e) au cinéma à . . . heures	☐	☐	☐	144
comprendre et écrire le prix des places au ciné et donner des détails sur un film	☐	☐	☐	146
dire et comprendre: Je vais mettre un jogging/ un T-shirt/ des tennis/ un jean, etc.	☐	☐	☐	151
dire et comprendre: Il va mettre un short/ Elle va mettre un body/ Ils vont mettre une veste, etc.	☐	☐	☐	152
poser des questions sur les vêtements des autres	☐	☐	☐	153
dire et comprendre: Pour aller à la plage/ en boum/ au collège etc., je vais mettre . . .	☐	☐	☐	153
dire ce que je vais faire et dire et comprendre ce que d'autres vont faire	☐	☐	☐	156
décrire mon péché mignon et comprendre les péchés mignons des autres	☐	☐	☐	159
comprendre et décrire la couleur d'un vêtement, demander: Quelle est votre couleur préférée?, et comprendre la réponse	☐	☐	☐	162

N'écrivez pas sur cette page

MODULE 11

Après les classes

Objectifs

Dire, comprendre et demander ce que l'on aime ou préfère faire après les classes.

Parler de et comprendre ce que l'on peut faire pour les vacances.

A Que fait-on après les classes?

Écoutez la cassette et lisez.
Qui préfère quelle activité?

Écoutez encore une fois et remplissez la grille.

Cochez ce qu'il/elle préfère faire ✔

Hervé						
Jeanne						
Fatima						
Luc						
Christine						
Simon						
Hélène						

N'écrivez pas sur cette grille

Travaillez avec un(e) partenaire.
Écoutez encore une fois. Répétez les dialogues. À tour de rôle!

Après les classes

 B

Et vous, que faites-vous après les classes?
Écoutez et lisez!

1. Moi, je fais des courses pour mes parents.

2. Moi, je travaille dans un magasin.

3. Salut! Moi, euh, je prépare le dîner pour la famille. J'aime bien faire la cuisine.

4. Moi, j'aide mon père dans le garage.

5. Moi, je joue avec mes deux frères.

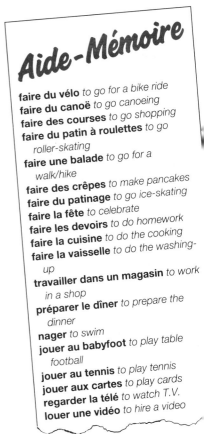

Aide-Mémoire

faire du vélo to go for a bike ride
faire du canoë to go canoeing
faire des courses to go shopping
faire du patin à roulettes to go roller-skating
faire une balade to go for a walk/hike
faire des crêpes to make pancakes
faire du patinage to go ice-skating
faire la fête to celebrate
faire les devoirs to do homework
faire la cuisine to do the cooking
faire la vaisselle to do the washing-up
travailler dans un magasin to work in a shop
préparer le dîner to prepare the dinner
nager to swim
jouer au babyfoot to play table football
jouer au tennis to play tennis
jouer aux cartes to play cards
regarder la télé to watch T.V.
louer une vidéo to hire a video

6. Moi, je vais chez ma grand-mère et je fais sa vaisselle.

7. Et nous, nous faisons nos devoirs! Euh!

C

On discute après les classes.
Qui dit quoi?
Écoutez et lisez.

a

b

d

e

f

Flash-Grammaire

On . . .
The French use this little word a lot, but what does it mean?
On can be used to talk about people in general, or it can
mean *we*, *you* or even *they*.
It's a very useful word to use if you want to suggest doing
something:

On fait du vélo? *Shall we go for a bike ride?*
On joue au babyfoot? *Shall we play table football?*

On can also be used to say what people in general can do.
For example:

À la campagne **on** peut faire du vélo *In the countryside, you
can go for a bike ride*
En montagne **on** peut faire des balades *In the mountains, you
can go walking*

Aide-Mémoire

Que fait-on? *What shall we do?*
On fait . . . ? *Shall we do . . . ?/Shall
we go . . . ?*
Je préfère . . . *I prefer . . .*
Bien sûr! *Of course!*
J'aime ça! *I like that!*
D'accord! *O.K.!*
Bonne idée! *Good idea!*
Excellente idée! *Excellent idea!*
Je veux bien! *I'd like to!*
Je n'ai pas d'argent *I don't have any
money*
Je ne veux pas *I don't want to*
Je n'ai pas de . . . *I don't have any . . .*
Je n'aime pas . . . *I don't like . . .*

D

Faites correspondre le bon dessin à la question. Regardez
l'exemple ci-dessous. Écrivez les réponses dans votre cahier.

a

b

c

d

e

f

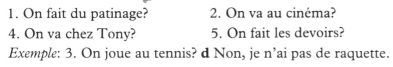

1. On fait du patinage?
2. On va au cinéma?
3. On joue au tennis?
4. On va chez Tony?
5. On fait les devoirs?
6. On loue une vidéo ce soir?

Exemple: 3. On joue au tennis? **d** Non, je n'ai pas de raquette.

Flash-Grammaire

These people are all saying that they don't have something.
Can you match them up with the correct caption?

a
Je n'ai pas de raquette.

b
Je n'ai pas de patins.

c
Je n'ai pas d'argent.

1.　　　　2.　　　　3.

Did you notice that in French, when you want to say that you *don't* have something you have to use **de** or **d'** after the negative. It's like saying in English that you don't have *any* . . .

E　Quelques suggestions après les classes

Vous vous envoyez des messages.
Répondez à trois de ces suggestions.
Écrivez votre réponse ou téléphonez à votre ami(e) pour donner votre réponse.

On va nager après l'école. Tu viens?

1.

Samedi, on fait du shopping. Tu viens?

2.

On fait des crêpes à quatre heures chez moi. Tu peux venir?

3.

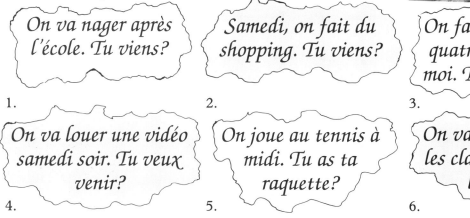

On va louer une vidéo samedi soir. Tu veux venir?

4.

On joue au tennis à midi. Tu as ta raquette?

5.

On va au café après les classes. Tu as de l'argent?

6.

Exemple:

On fait des crêpes chez moi?
Désolé(e)! Je ne peux pas. Je suis trop fatigué(e)!

Trouvez des photos! Écrivez des invitations!
Collez-les au mur!

📼 *Côté cuisine*

Les crêpes – ça saute!
Est-ce que vous savez faire les crêpes?
Lisez et écoutez.

PAUSE GOÛTER
CRÊPES BRETONNES

250 g de farine
4 œufs
1/2 litre de lait
1 cuillerée à soupe de sucre
1 cuillerée à café de sel
50 g de beurre
1 cuillerée à soupe de Calvados

- Mélangez la farine avec les œufs, le sel, le sucre et le lait froid.
- Ajoutez le beurre et le Calvados.
- Attendez une ou deux heures.
- Dans une poêle chaude et beurrée, versez assez de pâte, mais pas trop.
- Faites cuire une ou deux minutes et retournez la crêpe.

1. Versez la pâte avec une louche.
2. Étalez avec un «râteau».
3. Retournez la crêpe avec une spatule.

Voilà une liste d'ingrédients.
Trouvez les erreurs.

du sel
de la farine
des œufs
du chocolat
du beurre
de la bière
du café
du Calvados

Testez votre mémoire

À vous maintenant!
Voici des illustrations pour faire des crêpes. Dans votre cahier, écrivez le bon mot pour chaque illustration.
Faites votre recette.

Mélangez les ingrédients.

Attendez une ou deux heures.

Versez assez de pâte dans une poêle chaude et beurrée.

Faites cuire et retournez la crêpe.

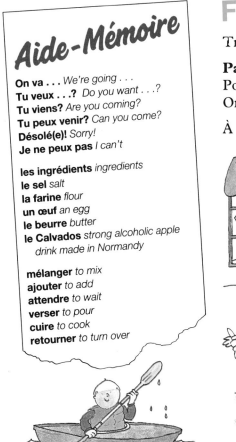

Aide-Mémoire

On va . . . *We're going . . .*
Tu veux . . .? *Do you want . . .?*
Tu viens? *Are you coming?*
Tu peux venir? *Can you come?*
Désolé(e)! *Sorry!*
Je ne peux pas *I can't*

les ingrédients *ingredients*
le sel *salt*
la farine *flour*
un œuf *an egg*
le beurre *butter*
le Calvados *strong alcoholic apple drink made in Normandy*

mélanger *to mix*
ajouter *to add*
attendre *to wait*
verser *to pour*
cuire *to cook*
retourner *to turn over*

F

Travaillez avec un(e) partenaire.

Partenaire A
Posez des questions:
On fait . . .?

Partenaire B
Répondez aux questions:
Non, je préfère faire . . .

À tour de rôle!

G On regarde la télé?

Lisez!
Qui aime quoi?

1. J'aime bien regarder les films d'horreur! Et toi?

Moi, aussi!

2. Moi, j'aime regarder le concert rock.

Oh, non! Je n'aime pas le rock!

Je préfère les émissions d'aventure!

3. Moi, j'aime regarder la météo et les actualités.

C'est intéressant, les actualités!

4. Moi, j'adore les westerns et le catch!

5. J'aime bien regarder les documentaires. Et toi, Jean-Claude?

Moi, je préfère regarder le sport, surtout les matchs de foot! C'est génial, les matchs de foot! J'aime aussi les dessins animés!

6. Moi, j'adore les feuilletons!

1 Voilà des vidéos et des émissions dans *Télé 7 Jours*.
Choisissez une vidéo ou une émission pour chaque personne.
Regardez la liste de noms.
Exemple: Paul aime regarder les films d'horreur.

Claudine
Madame Bellec
Jean-Claude
Madame Riva
Paul
Monsieur Bellec
Pierre
Marie
Delphine

8.35 FEUILLETON

22.00 Eurorock : trois heures de musique

Vidéo : Pour quelques dollars de plus

Vidéo : Aventure dans les montagnes

13.30 Météo 123. soleil
13.32 Actualités régionales

Documentaire ENVIRONNEMENT

14.00 Football : La Coupe de l'Europe

00.30 Programme de nuit : deux films d'horreur

2 Travaillez avec un(e) partenaire.
Quelle vidéo et quelle émission est-ce que vous préférez?

Après les classes

H

Voici une grille de programmes de télé pour un samedi.
Vous mettez en marche la télé à 18 heures.
1. Quelle émission pouvez-vous regarder sur TF1, Canal plus,
   France 2, France 3 et M6?
2. Calculez combien d'heures par jour vous regardez la télé.

   Exemple: Je regarde la télé deux heures par jour.

	TF1	**France 2**	**France 3**
17.30	*Le joli cœur*	*Santé à la ‹‹5››*	*Reportage: la délinquance*
18.00	*Feuilleton: M'as-tu vu?*	*Dessins animés: Disney*	*Football: la Coupe de France*
18.30	*Variétés*	*Opéra de Marseille*	*Festival international du cirque*

	C+	**M6**
17.30	*Téléfilm: ‹‹La promesse››*	*Edith et Marcel*
18.00	*Journal: spécial espace*	*Histoire naturelle: les rivières*
18.30	*Cinéma*	*Film: ‹‹Dracula››*

I *Et non, je ne m'ennuie pas sans télé . . .*

Regardez ces illustrations. Cette famille n'a pas de poste de T.V.
Que font-ils?

PARENTS ENFANTS

JE VEUX DE L'ARGENT DE POCHE

J Avez-vous de l'argent de poche?

Lisez l'article.
De quoi s'agit-il?
Que faites-vous après les classes ou le week-end pour gagner un peu d'argent de poche?

Aide-Mémoire

On regarde la télé? *Shall we watch T.V.?*

J'aime bien regarder . . . *I really like watching . . .*

les films d'horreur *horror films*

les émissions d'aventure *adventure programmes*

la météo *the weather forecast*

les actualités *the news*

les westerns *Westerns*

le catch *wrestling*

les documentaires *documentaries*

les matchs de foot *football matches*

les dessins animés *cartoons*

les feuilletons *soap operas*

les émissions de sport *sports programmes*

les concerts rock *rock concerts*

une vidéo *a video*

C'est génial! *It's great!*

C'est intéressant *It's interesting*

*info*CULTURE

La télévision en France

En France il y a cinq chaînes principales: TF1, France 2, France 3, M6 et Arté. Il y a aussi une chaîne privée, Canal+. Pour obtenir Canal + il faut payer une cotisation tous les mois.

On peut aussi obtenir le câble qui offre seize chaînes supplémentaires.

Les téléspectateurs français qui habitent près des frontières peuvent aussi voir des émissions étrangères de l'Italie, de l'Allemagne, de la Belgique, de l'Espagne, du Luxembourg, de la Suisse et même de l'Angleterre!

Plusieurs magazines donnent les programmes de la semaine. Par exemple, il y a *Télé 7 Jours*, *Télé-Poche*, *Télé de A à Z*, et *Télé Loisirs*. Ces magazines sont souvent intéressants et même amusants à lire. Ils contiennent beaucoup d'articles, de jeux, de concours, d'horoscopes, de recettes et, quelquefois, des pages pour les jeunes avec des bandes dessinées.

K *Vos projets de vacances*

Les grandes vacances vont bientôt arriver.
Où voudriez-vous passer les vacances? Pourquoi?

1 Choisissez votre lieu de vacances.
Écoutez la publicité et lisez les posters à la page 182! Regardez la carte!

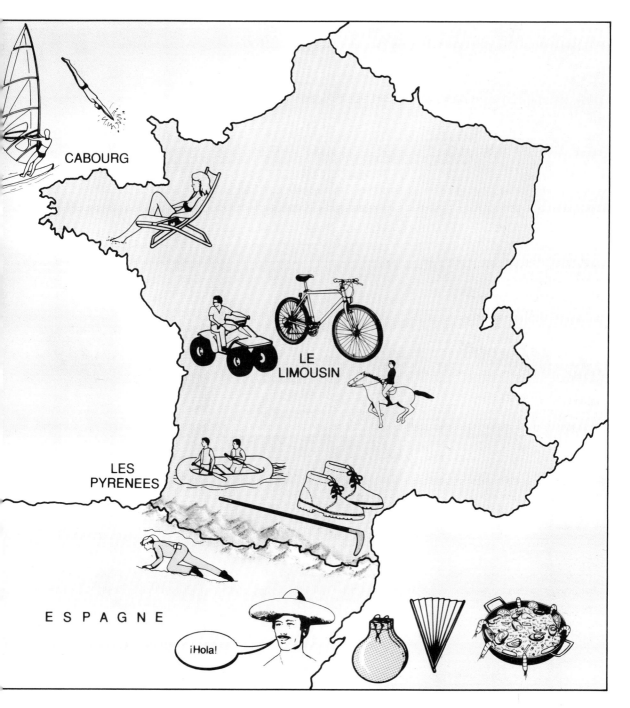

Après les classes

1.

Pour les grandes vacances allez à l'étranger!
Visitez **l'Espagne.**

En Espagne,
  on peut parler une langue étrangère
  on peut acheter des souvenirs curieux
  on peut manger des repas différents.

2.

Pour les vacances allez à la campagne!
Restez en France! Visitez **le Limousin**!

Dans le Limousin,
  on peut faire du vélo
  on peut faire de l'équitation
  on peut faire du quad.
C'est génial, la campagne!

3.

Passez vos vacances à la mer!
Visitez **Cabourg** en Normandie.

À Cabourg,
  on peut faire de la planche à voile
  on peut nager
  on peut bronzer au soleil.
C'est chouette!

4.

Pour les vacances allez à la montagne!
Dans **les Pyrénées**,
  on peut faire des balades
  on peut faire du rafting
  on peut visiter des grottes.

2 Donnez les raisons de votre choix.
Exemple: Le Limousin, parce qu'on peut faire du vélo.

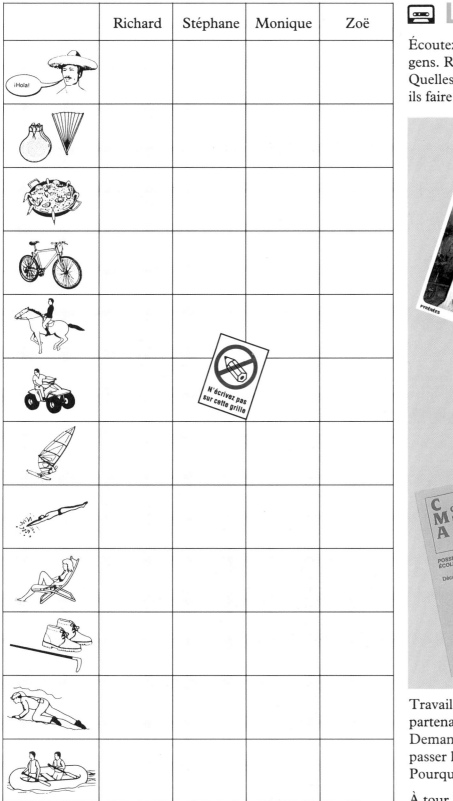

Écoutez ces quatre jeunes gens. Regardez la publicité! Quelles activités voudraient-ils faire pendant les vacances?

Travaillez avec un(e) partenaire.
Demandez: Où voudrais-tu passer les grandes vacances? Pourquoi?

À tour de rôle!

Après les classes

M

Travaillez avec un(e) partenaire.
Vous êtes en vacances.
Choisissez six activités dans ce module. Décidez si vous allez les faire
le matin ou l'après-midi. Écrivez ces six activités dans l'agenda.

Exemple:

	matin	**après-midi**
lundi		
mardi		
mercredi		
jeudi		
vendredi		
samedi		
dimanche		

N'écrivez pas sur cette grille

Flash-Grammaire

Look at these sentences – what do you notice about them?

'Je préfère faire du shopping.'
'Tu veux regarder le concert rock?'
'J'aime regarder la météo.'
'Moi, je voudrais aller à la mer.'

They all contain two verbs.
When this happens, the second verb is always in the *infinitive*.
The infinitive of a verb is like its *title*. In English, the infinitive
of a verb has the word 'to' in front of it, e.g.

   to go, *to* do, *to* watch

In French, there's no need for an extra word to show that a
verb is in the infinitive. Instead, the verb has a special ending,
e.g.

   all**er**, fai**re**, regard**er**

The most common ending is **-er**, but you will find three other
verb endings: **-re**, **-ir**, and **-oir**. Examples:

   prend**re** *to take*
   ven**ir** *to come*
   voul**oir** *to want*

When you look a verb up in a dictionary, you will find that it is
the infinitive form that is listed.

Exercice 1
Here are some verb
infinitives. Look them up in a
dictionary or in the *Lexique*
section at the back of *Spirale*.
What do they mean in
English?
1. pouvoir   5. pleuvoir
2. aller   6. dire
3. acheter   7. trouver
4. mettre   8. ouvrir

Exercice 2
In this module you have met
On peut followed by an
infinitive.

Examples:
On peut parler une langue
étrangère.
On peut faire du rafting.

Make up four sentences with
On peut followed by **aller,
acheter, mettre, trouver.**

N

Êtes-vous bon reporter?
Écoutez ces jeunes.

Travaillez avec un(e) partenaire.
Écoutez les quatre interviews.
Écrivez en anglais tous les détails que vous avez compris.
Comparez votre interview avec les interviews d'autres ami(e)s.
Qui est le meilleur reporter ou la meilleure reporter?

Écoutez encore une fois. Avec un(e) ami(e), faites un reportage.
Présentez-le en vidéo ou en cassette.
Parlez de 1. ce que vous aimez faire après l'école.
    2. ce que vous pouvez faire pendant les grandes vacances.

O

Regardez la photo.
Faites un poster, sur ordinateur si possible. Écrivez les
activités de tous les élèves dans votre classe après l'école ou
pendant les grandes vacances. Envoyez-le à une école en
France, en Belgique ou dans un pays francophone.

Après les classes

POUR VOUS AIDER

Objectifs

Dire, comprendre et demander ce que l'on aime ou préfère faire après les classes *To say, understand and ask what you like or prefer to do after class*

Parler de et comprendre ce que l'on peut faire pour les vacances *To talk about and understand what one can do for the holidays*

Que fait-on après les classes? *What are we doing after school?*

Qui préfère quelle activité? *Who prefers which activity?*

On discute . . . *People are having discussions . . .*

Vous vous envoyez des messages *You are sending messages to each other*

Répondez à trois de ces suggestions *Reply to three of these suggestions*

Téléphonez à votre ami(e) *Telephone your friend*

Les crêpes – ça saute! *Pancakes jump!*

Est-ce que vous savez faire une crêpe? *Do you know how to make a pancake?*

Trouvez les erreurs *Find the mistakes*

Choisissez une vidéo ou une émission *Choose a video or a programme*

Vous mettez en marche la télé *You turn on the T.V.*

Cette famille n'a pas de poste de T.V. *This family doesn't have a T.V. set*

Qu'est-ce que vous voudriez faire? *What would you like to do?*

Que faites-vous pour gagner un peu d'argent de poche? *What do you do to make a bit of pocket money?*

Choisissez six activités dans ce module *Choose six activities from this module*

Décidez si vous allez les faire le matin ou l'après-midi *Decide if you're going to do them in the morning or the afternoon*

Êtes-vous bon reporter? *Are you a good reporter?*

Écrivez en anglais tous les détails que vous avez compris *Write down in English all the details you have understood*

Comparez votre interview avec les interviews d'autres ami(e)s *Compare your interview with those of your friends*

Qui est le meilleur reporter ou la meilleure reporter? *Who is the best reporter?*

Faites un reportage *Do a report*

Un déjeuner barbecue

Objectifs

Expliquer et comprendre des recettes de cuisine.

Écrire et comprendre une liste de provisions.

Dire, demander et comprendre une quantité de produits.

Demander et comprendre ce que quelqu'un a fait.

Dire et comprendre le temps qu'il va faire.

A *La spécialité de Pierre . . . les pop-corns*

Écoutez et lisez.

Salut, Pierre! Qu'est-ce que tu as acheté pour le barbecue?

Ah, tu vas faire des pop-corns. J'adore ça!

J'ai acheté une bouteille d'huile, un paquet de sucre et un paquet de maïs . . .

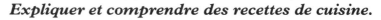

1 Lisez les instructions.

1. Mettez un peu d'huile dans une grande casserole
2. Chauffez-la à feu moyen
3. Ajoutez le maïs et 2 cuillerées de sucre
4. Mélangez doucement et mettez le couvercle
5. Secouez vigoureusement – attention, ça va sauter!
6. Quand le maïs explose, versez les pop-corns dans un bol. Servez tout de suite

Un déjeuner barbecue

Qu'est-ce que Pierre a fait pour préparer ses pop-corns?
Complétez les phrases. Écrivez-les dans votre cahier.
Il dit:

J'ai mis . . . .

J'ai chauffé . . . .

J'ai ajouté . . . .

J'ai mélangé . . . . .et j'ai mis . . . .

J'ai secoué . . . .

J'ai versé . . . . .et j'ai servi . . . .

2 À vous maintenant!
Travaillez avec un(e) partenaire.

N'écrivez pas sur cette page

Partenaire A
Choisissez une recette.
Indiquez une action.
Demandez:
'Qu'as-tu fait?'

Partenaire B
Vous êtes Pierre.
Répondez aux questions.

Exemple: 'J'ai mis . . .'

LE MILK-SHAKE À LA BANANE.

Le MILK-SHAKE, cela veut dire lait mixé. Je te propose de le faire à la banane... Mais tu peux y mettre tous les fruits que tu désires.

Pour **2** verres, il te faut:

120 grs de fromage blanc.

25 cl de lait.

Une banane bien mûre.

1/2 cuillère à café de sucre vanillé.

1 glaçon.

B La spécialité de Benoît . . . le milk-shake à la banane

1 Regardez les illustrations.
Quels ingrédients faut-il pour deux verres de milk-shake?

1. . . . .

2. . . . .

3. . . . .

4. . . . .

5. . . . .

2 Faites correspondre les instructions à la bonne illustration.

1. Mettez les ingrédients dans un mixeur.
2. Laissez se mélanger pendant dix secondes.
3. Versez dans deux grands verres.
4. Buvez – c'est délicieux!

3 À vous maintenant!
Choisissez un des parfums ci-dessous et faites votre milk-shake.
Écrivez votre recette.

à la fraise

au chocolat

au kiwi

à la grenadine

à la menthe

à la framboise

à la vanille

Travaillez avec votre partenaire.
Dites-lui comment faire un milk-shake.
Suivez les illustrations.
Commencez par: Il te faut . . .

Aide-Mémoire

mettez *put*
chauffez *heat*
ajoutez *add*
mélangez *mix*
secouez *shake*
versez *pour*
servez *serve*
buvez *drink*

C *La spécialité de Claudine . . . les cocktails*

Lisez et écoutez.

Et toi, Claudine? Qu'est-ce que tu as fait pour le barbecue?

Ce matin je suis allée chez Julien. Nous avons fait des cocktails. Ils sont dans le frigo. Regarde – voici la recette.

Pour 8 personnes:
☆ un litre de jus de pomme
☆ 6 cuillères à soupe de sirop de cassis
☆ un demi-litre d'eau minérale gazeuse
☆ des glaçons

Regardez la recette et écoutez Claudine.
Est-ce qu'elle a bien compris?
Décrivez ce qu'elle a fait.
Écrivez.

Elle a . . . .
. . . .
. . . .

N'écrivez pas sur cette page

C'est délicieux? C'est horrible?

Aide-Mémoire

une recette *a recipe*
l'huile *oil*
le sucre *sugar*
le maïs *popping corn, maize*
une banane *a banana*
du fromage blanc *soft white cheese*
du lait *milk*
un glaçon *an ice cube*
un verre *a glass*
une cuillerée *a spoonful*
une cuillère à soupe *a tablespoon*
le jus de pomme *apple juice*
le sirop de cassis *blackcurrant syrup*
l'eau minérale gazeuse *fizzy mineral water*

Un déjeuner barbecue

🔊 D

Pierre a fait des courses.
Voici sa liste de provisions.

1. 24 saucisses

2. quatre baguettes

3. un kilo de tomates

4. une botte de radis

5. deux salades

6. 3 grands paquets de chips

7. un concombre

8. un paquet de beurre

Écoutez et regardez.
Faites correspondre les ingrédients aux dessins.

Exemple: **g** = 8

Flash-Grammaire

If you are telling someone what you have done (in following a recipe, for example), you will need to use the past tense.
You have already met this in Module 6 when you learned how to say where you have been.
As you probably remember, the past tense in French is in two parts.
When you are talking about what you have done, the first part you need is **avoir**:

j'ai	nous avons
tu as	vous avez
il a	ils ont
elle a	elles ont

The second part you need is the main verb. This must be in a special form – the *past participle.* Examples:

chauffé   ajouté   mélangé   mis   fait

Most past participles end in **-é**, but you will notice other endings. These just have to be learnt!

Regardez le 'Juke-box du passé' à la page 197 pour vous aider!

E

À vous maintenant!
Qu'est-ce que vous avez fait pour préparer votre barbecue?
Choisissez vos ingrédients. Décrivez vos préparations à votre camarade.

des tomates
des baguettes
des steaks
des côtelettes
des brochettes
des cacahuètes
une salade
des pommes de terre
un Camembert

F

Vous voulez faire une macédoine pour vos ami(e)s . . .
Vous allez au marché acheter des fruits.
Il vous faut des pommes, des bananes, des oranges, des
pêches, des poires et un citron – mais combien en acheter?
Faites des recherches. Trouvez les quantités nécessaires pour
huit personnes (2 kilos, 1 kilo, un demi-kilo, etc.)

Maintenant, travaillez avec un(e) partenaire. Faites vos achats.
Suivez le modèle.

Partenaire A
Bonjour Madame/Monsieur.
Vous désirez . . . ?

À tour de rôle!

Partenaire B
Bonjour Monsieur/Madame.
Je voudrais un kilo de . . . s'il
vous plaît.

G

Vous organisez un barbecue. Regardez les plats et
les recettes (Activités A–F) et écrivez votre liste.
Trouvez le prix des ingrédients dans un
supermarché et notez-les.

Exemple:

> LISTE
> LA MACÉDOINE
> 1 kilo de pommes £1.30
> 1/2 kilo de poires 63p
> . . . .
> . . . .

N'écrivez pas sur cette page

Collez vos listes au mur.

Maintenant, regardez la page de publicité.
Faites le total.

. . . . . .   francs

Comparez le total en France au total chez vous.

Un déjeuner barbecue

▣ H *Les yeux plus gros que le ventre!*

Écoutez.
Toto et Zoë sont allés en boum.
Qu'ont-ils mangé?
Écrivez les quantités.

N'écrivez pas sur cette page

① Une tranche de gâteau.

② _____

③ _____

④ _____

⑤ _____

⑥ _____

⑦ _____

⑧ _____

▣ I *Un barbecue raté!*

1. Salut? Mais qu'est-ce que vous faites?
On fait un barbecue!

2. Mais vous êtes fous!
Pourquoi?

3. Vous n'avez pas lu les prévisions?
Quelles prévisions?

4. Il va pleuvoir. Mais oui! Il va pleuvoir! . . . Une de ces pluies!

LA MÉTÉO

J *Je le vois dans la boule!*

Vous avez décidé d'organiser un barbecue.
Écoutez les prévisions pour la semaine et suivez ces jeunes.

Aide-Mémoire

la météo *the weather forecast*
les prévisions *the forecast*
il va . . . *it's going . . .*
  faire froid *to be cold*
  pleuvoir *to rain*
  faire du vent *to be windy*
  faire du brouillard *to be foggy*
  neiger *to snow*
  faire mauvais *to be bad weather*
  faire chaud *to be hot*
  faire du soleil *to be sunny*
  faire beau *to be fine*

Vous êtes fous! *You're mad!*
Quelle mélasse! *How dismal!*
Tiens! *Oh!*
C'est raté *It's ruined!*
Quelle barbe! *What a nuisance!*
Enfin! *At last!*

Lundi	Mardi	Mercredi	Jeudi	Vendredi	Samedi	Dimanche
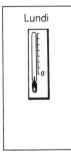		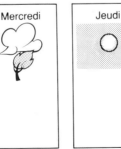				
Aujourd'hui il va faire froid!	**Tiens, il va pleuvoir!**	**Le barbecue! C'est raté! Il va faire du vent!**	**Oh! On ne voit rien! Il va faire du brouillard!**	**Je peux voir dans la boule magique! Il va neiger.**	**Il va faire mauvais! Quelle barbe!**	**Il va faire chaud! Enfin! Faisons le barbecue dimanche!**

Un déjeuner barbecue

Écoutez encore une fois! Quel temps va-t-il faire chaque jour?
Écrivez vos réponses dans votre cahier.

Lundi

Mardi

Mercredi

Jeudi

Vendredi

Samedi

Dimanche

N'écrivez pas sur cette grille

K

Vous consultez la météo sur MINITEL avant de sortir.
Regardez l'image.
Prenez des notes.

Ville	Temps

N'écrivez pas sur cette grille

L *Allô météo!*

Lisez! Répondez aux questions.
Tu appelles quel numéro pour avoir la météo de . . .?

1. Paris.
2. Yvelines.
3. Prévisions montagne et neige.

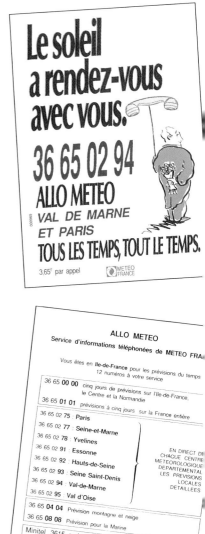

M *Quel temps fait-il?*

Travaillez avec un(e) partenaire.

Partenaire A

Partenaire B

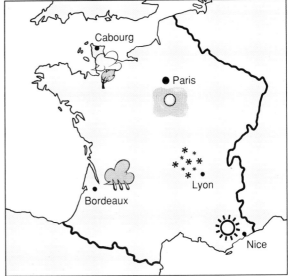

Demandez:
Quel temps fait-il à . . .?

Un peu de culture

 Le saviez-vous?

• La météo est née en France sous Napoléon III, le 14 novembre, 1854.

• En 1600, l'Italien Galilée a découvert le thermomètre pour mesurer la température.

• Les couleurs de l'arc-en-ciel sont: rouge, orange, jaune, vert, bleu, indigo, violet.

• Pour connaître le temps en France, vous consultez le MINITEL, en tapant le 36.15 météo.

• Il va faire beau si les hirondelles volent haut!

• En France on mesure la température en degrés *Celsius* – un Monsieur Celsius a inventé cette mesure.

• Dans les pays anglo-saxons on utilise le degré *Fahrenheit* – le nom d'un autre homme scientifique.

Un déjeuner barbecue

N *Humeur du jour*

Savez-vous que le temps peut influencer votre moral?
Regardez 'Humeur du jour' et dites à vos camarades comment
vous vous sentez.

1. Quand il va pleuvoir . . .
2. Quand il va faire chaud . . .
3. Quand il va neiger . . .
4. Quand il va faire du vent . . .
5. Quand il va faire froid . . .
6. Quand il y a du brouillard . . .
7. Quand il y a du soleil . . .

N'écrivez pas
sur cette page

Exemple: Quand il va pleuvoir, je suis malheureux . . .

N'oubliez pas!
Donnez votre 'Humeur du jour'.

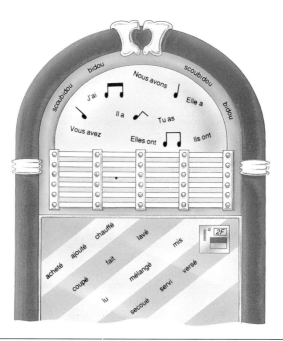

POUR VOUS AIDER

Objectifs

Expliquer et comprendre des recettes de cuisine *To explain and understand recipes*

Écrire et comprendre une liste de provisions *To write and understand a shopping list*

Dire, demander et comprendre une quantité de produits *To give, ask for and understand a quantity of items*

Demander et comprendre ce que quelqu'un a fait *To ask and understand what someone has done*

Dire et comprendre le temps qu'il va faire *To say and understand what the weather will be like*

de la page 187 à la page 191

Un déjeuner barbecue *A barbecue lunch*

Qu'est-ce que Pierre a fait? *What has Pierre done?*

Choisissez un des parfums ci-dessous *Choose one of the flavours below*

Pierre a fait des courses *Pierre has done his shopping*

Vous voulez faire une macédoine *You want to make a fruit salad*

Trouvez les quantités nécessaires *Find out the quantities needed*

Regardez les plats et les recettes *Look at the dishes and the recipes*

Trouvez les prix et notez-les *Find out the prices and make a note of them*

Faites le total en francs *Add up the total price in francs*

Comparez le total en France au total chez vous *Compare the French total with the total where you live*

de la page 192 à la page 196

Les yeux plus gros que le ventre! *Eyes bigger than your stomach!*

Je le vois dans la boule! *I can see it in the crystal ball!*

Quel temps va-t-il faire chaque jour? *What will the weather be like each day?*

Vous consultez la météo sur MINITEL *You consult the weather forecast on MINITEL*

Savez-vous que le temps peut influencer votre moral? *Do you know that the weather can affect your mood?*

Dites à vos camarades comment vous vous sentez *Tell your friends how you feel*

C'EST TON PROFIL

Coche ce que tu as appris.

Maintenant je peux . . .

	Si tu es prêt(e), tu coches ✓			Si tu ne peux pas, mets une croix X et révise la page . . .
	bien 😊	*moyen* 😐	*pas très bien* ☹️	
dire et comprendre: On fait du vélo?/ du canoë?/ du shopping?/ du patin à roulettes?, etc.	☐	☐	☐	**168**
dire et comprendre: Je préfère faire du vélo/ du canoë, etc.	☐	☐	☐	**168**
dire et comprendre: Je fais des courses/ Je travaille/ Je prépare le dîner/ J'aide mon père, etc.	☐	☐	☐	**170**
accepter ou refuser une invitation	☐	☐	☐	**173**
dire que je n'ai pas quelque chose	☐	☐	☐	**174**
dire quels programmes j'aime à la télé, et donner et comprendre des détails sur la télévision française	☐	☐	☐	**176**
dire où je voudrais passer mes vacances et demander: Où voudrais-tu passer les grandes vacances?	☐	☐	☐	**182**
décrire et comprendre comment faire des pop-corns et comment j'ai fait des pop-corns	☐	☐	☐	**187**
décrire et comprendre comment faire un milk-shake, comment faire un cocktail, et comment quelqu'un a fait un cocktail	☐	☐	☐	**188**
comprendre et écrire une liste de provisions pour un barbecue et décrire comment j'ai fait un barbecue	☐	☐	☐	**190**
comprendre et acheter les bonnes quantités de fruits et de provisions au marché ou au supermarché	☐	☐	☐	**191**
comprendre la météo, et dire et comprendre le temps qu'il va faire	☐	☐	☐	**193**

N'écrivez pas sur cette page

MODULE 13

Vive les vacances!

Objectifs

Décrire et comprendre les meilleurs moments des vacances.

Dire et comprendre où l'on a passé les vacances.

Choisir des souvenirs de vacances.

Vive les vacances!

A Les meilleurs moments des vacances

1 Écoutez et lisez.

Ces élèves de la classe 4^eB au Lycée Français de Londres sont allés en France pour les vacances.

1.
J'ai passé un après-midi sur un vieux bateau dans la baie de Douarnenez en Bretagne. Nous avons fait de la voile. Je suis tombée dans l'eau!

Claudette

2.
Moi, j'ai visité un musée à Ambert et j'ai fait du papier. Nous avons jeté des fleurs dans un liquide.

Paul

3.
Nous avons fait un pique-nique dans la forêt des Ardennes. Un sanglier a chassé mon père. Nous avons ri!

Michel

4.
Je suis allée au carnaval à Nice. Nous avons dansé dans les rues toute la nuit.

Charlotte

5.
J'ai passé huit heures sous terre dans des grottes à Aguzou dans les Pyrénées. J'ai mis une salopette, un casque et une lampe.

Julien

6.
Je suis restée chez mes grands-parents à Sète. Pendant une semaine j'ai fait de la plongée sous-marine.

Anne-Marie

2

Écoutez les questions! Écoutez et lisez
encore une fois ce que disent les six personnes.
Écrivez vos réponses.

1. Qui a passé un après-midi sur un vieux
bateau?

2. Voici du papier avec des fleurs.
Qui a fait ça?

4. Anne-Marie a fait de la plongée sous-
marine à Nice?

5. Julien a passé une journée sous terre.
C'est vrai?

3. Qui a fait un pique-nique dans une forêt?

6. Qui a dansé
toute la nuit?

Vive les vacances!

B

Lisez Activité A encore une fois.
Consultez un atlas.
Marquez d'une croix sur une carte de France où les six élèves de la classe 4ᵉB sont allés. Écrivez le nom de l'élève à côté de chaque croix.

Exemple:

X Julien

C

Travaillez avec un(e) partenaire.

Partenaire A   **Partenaire B**
Demandez: Répondez:

Qu'a fait   Claudette a . .
   Claudette?

Qu'a fait   Paul a . . .
   Paul?

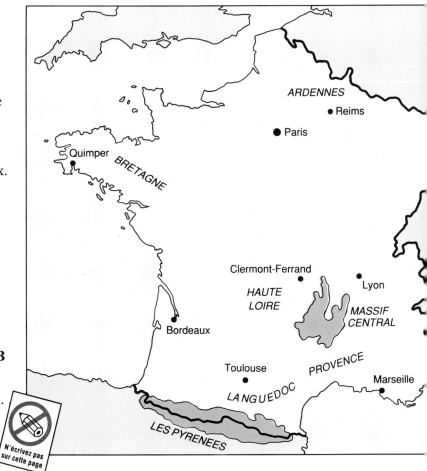

N'écrivez pas sur cette page

D   *J'ai passé de bonnes vacances*

Qui est allé où?
Lisez.
Choisissez la bulle qui correspond à chaque photo.

1.
à l'étranger

2.
chez moi

3.
chez mes grands-parents à la campagne

4.
faire du camping en Espagne

5.
au bord de la mer avec un
groupe de jeunes

6.
dans un hôtel avec mes
parents

a
Ils ont une ferme en
Provence. J'ai donné à
manger aux animaux!

b
Je n'ai pas bien dormi.
Décidément je n'aime pas
dormir par terre . . .

c
Je suis sorti en ville avec
mes copains tous les
jours. Chic!

d
Je n'ai pas fait la vaisselle
pendant toute une
semaine!

e
Nous avons joué au
volleyball sur la plage.

f
J'ai beaucoup aimé la
Grèce.

E *Tu as écrit une carte postale?*

· CARTE · POSTALE ·

Chère Pascaline
Comme tu sais, je fais du camping avec ma famille.
Pendant les vacances j'ai rencontré un garçon ! Il est allemand et il s'appelle Hermann. ♥♥
Hier nous sommes allés à la piscine. Puis le soir nous sommes allés danser. J'ai dansé toute la nuit !! Ah, il est beau, Hermann ! Oh, il arrive...
Bisous, Marie-France xxx

Ich ♥ BERLIN

Écoutez et lisez la carte postale de Marie-France.
Où est-elle allée?
Qu'est-ce qu'elle a fait pendant les vacances?

F *Souvenirs de vacances*

Voici des souvenirs.

Aide-Mémoire

Les meilleurs moments des vacances *The best moments of the holidays*
J'ai passé un après-midi / *spent an afternoon*
Nous avons fait de la voile *We went sailing*
Je suis tombé(e) / *fell*
J'ai visité un musée / *visited a museum*
J'ai fait du papier / *made some paper*
Nous avons fait un pique-nique *We had a picnic*
Nous avons ri *We laughed*
Nous avons dansé *We danced*
J'ai mis . . . / *put on . . .*
J'ai fait de la plongée sous-marine / *went under-water diving*
J'ai donné à manger aux animaux / *fed the animals*
J'ai dormi / *slept*
J'ai rencontré un garçon / *met a boy*

un verre

un badge

une carte postale

un timbre de collection

une pomme de pin   **un coquillage**   **un stylo**   **une gomme**   **une photo/des photos**

Écoutez ces jeunes.
Qu'est-ce qu'ils ont rapporté?
Remplissez la grille.

									
Fatima									
Jacqueline									
Ali									
Nicole									
Claude-François									
Patrick									
Jacques									
Marie-France									

N'écrivez pas sur cette grille

G *Qu'ai-je choisi?*

Travaillez avec un(e) partenaire.
Regardez la liste de souvenirs.

Partenaire A
Choisissez un souvenir de vacances.

Partenaire B
Devinez le souvenir que votre partenaire a choisi.
Demandez:
Tu as choisi un(e) . . .?

Répondez aux questions de votre partenaire:
Non, je n'ai pas choisi un(e) . . .
Oui, j'ai choisi un(e) . . .

À tour de rôle!

N'écrivez pas sur cette page

Vive les vacances!

H

Voici la carte postale en puzzle de Corinne.
Que dit-elle?
Écrivez son message dans votre cahier.

le barbecue.

mon frère a déchiré mon

un camping horrible.

jours de vacances!

la permission

Hier, le chien a mangé

d'aller

les saucisses pour

Brsous à toute la bande,

mon bracelet.

en boîte avec les copains..!

Corinne

Encore trois

J'ai perdu

Je suis tombée

Vive la rentrée!

Mes parents ont choisi

et j'ai cassé mes

Mon père ne m'a pas donné

lunettes de soleil.

T-shirt.

I Test 'Vacances'

As-tu profité de tes vacances?
Réponds *Oui* ou *Non* aux questions!

N'écrivez pas sur cette page

1. As-tu visité une nouvelle ville/région ou
   un nouveau monument, etc.? — *oui/non*

2. As-tu trouvé un nouvel ami/une nouvelle amie? — *oui/non*

3. As-tu regardé la télé moins de trois heures par jour? — *oui/non*

4. Es-tu sorti(e) avec la famille ou des amis?
   (As-tu fait des balades/des excursions, par exemple?) — *oui/non*

5. As-tu appris ou as-tu pratiqué un sport nouveau
   (par exemple le roller/le skate)? — *oui/non*

6. As-tu réalisé tous tes projets de vacances? — *oui/non*

7. Es-tu resté(e) au lit moins de 10 heures régulièrement? — *oui/non*

8. As-tu aidé ta famille à faire la vaisselle/la cuisine, etc.? — *oui/non*

9. Es-tu allé(e) à un barbecue/une fête/une surprise-party/
   une disco? — *oui/non*

10. As-tu trouvé des souvenirs de vacances? — *oui/non*

Compte un point pour chaque réponse *Oui* et fais le total de tes points.

10 points: Excellent pour toi et ta famille!
7–10 points: Tu as très bien profité de tes vacances!
3–6 points: Pas mal! Tu as assez bien profité de tes vacances!
Moins de 3 points: Quelles vacances!
Fais un petit effort la prochaine fois!

J Des vacances catastrophiques!

Imaginez que vous avez passé de très mauvaises vacances.
Écrivez une carte postale.

Concours!
Qui peut écrire la meilleure carte postale?
Collez vos cartes au mur de la classe et jugez-les!

Pour vous aider: regardez les phrases et les verbes dans votre
Aide-Mémoire. Mettez quelques-unes de ces phrases dans
votre carte postale.

Aide-Mémoire

Quelles vacances! *What a holiday!*
Mes parents ont choisi . . . *My parents have chosen . . .*
Le chien a mangé . . . *The dog has eaten . . .*
Mon frère a déchiré . . . *My brother has torn . . .*
J'ai perdu . . . *I have lost . . .*
J'ai cassé . . . *I have broken . . .*
Mon père ne m'a pas donné *My father has not given me . . .*
As-tu profité de tes vacances? *Have you made the most of your holiday?*
As-tu réalisé tous tes projets? *Did you do everything you planned?*

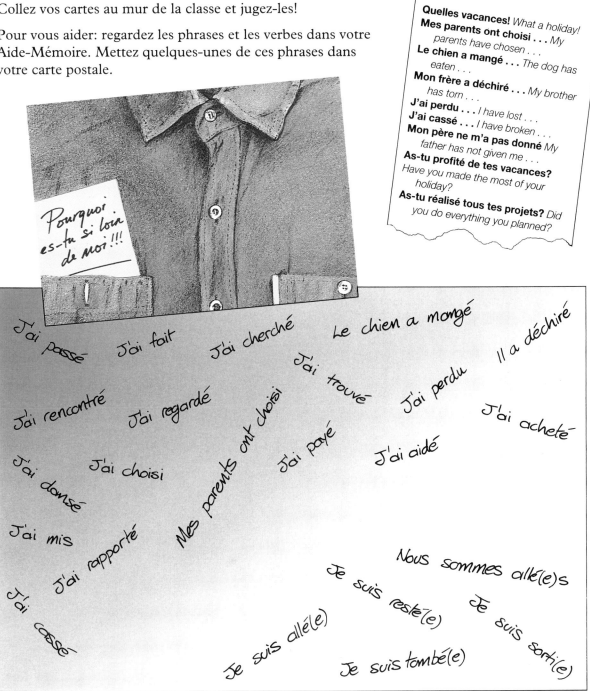

Pourquoi es-tu si loin de moi!!!

J'ai passé   J'ai fait   J'ai cherché   Le chien a mangé   Il a déchiré

J'ai rencontré   J'ai regardé   J'ai trouvé   J'ai perdu   J'ai acheté

Mes parents ont choisi   J'ai payé   J'ai aidé

J'ai dansé   J'ai choisi

J'ai mis   J'ai rapporté

Nous sommes allé(e)s

Je suis resté(e)   Je suis sorti(e)

J'ai cassé   Je suis allé(e)   Je suis tombé(e)

Flash-Grammaire

In this module you have really seen the past tense in action! To sum up, here are the key things you need to remember about it:

a The perfect tense is used to talk about what you *did*, or *have done* in the past.

b There are two parts to this tense:
1. **être/avoir**
2. the past participle

Examples:
J'**ai mis**   Tu **as ajouté**   Il **a secoué**
Je **suis allé**   Tu **es sorti**   Elle **est restée**

c Most verbs form their perfect tense with **avoir**, but there are some verbs which use **être**. Look back at Module 6 and *La maison du bien-être* to remind yourself about them.

Look back through this module and try to spot the verbs which are in the perfect tense. Compete with a partner to see how many examples you can find in five minutes! Here are some things to look out for:
 verbs using **avoir**
 verbs using **être**
 verbs with a past participle ending in **-é**, etc.

Exercice
Make up 10 different sentences using the phrases in the table below:

J'ai Nous avons On a	acheté trouvé rapporté rencontré fait	des souvenirs des cartes postales du papier un joli T-shirt de nouveaux amis de l'équitation de la voile	en vacances.

K *Ceux qui restent en ville*

Lisez. De quoi s'agit-il? Notez les activités offertes.

'Moi, je reste chez moi pendant les vacances. Je vais au ciné, je fais du skate-board. Je suis membre d'un club de tennis de table et en ce moment je suis un stage. Je m'amuse bien. Très souvent, je suis aussi des stages de peinture et de dessin. Regarde la brochure!'

De vraies vacances pour tous
PARC INTERDÉPARTEMENTAL CHOISY-LE-ROI

- Volleyball (13h - 14h)
- Golf (14h - 18h) démonstration
- Ballons sauteurs (14h30 - 15h30)
  - Moto acrobatique
  - Quads (moto 4 roues)
  - Compétitions mini-moto
- Tennis (14h - 17h)
- Trampoline (16h - 17h30)
- Structure gonflable (toute la journée)

Spectacles

- Fanfare: Les éponges musicales de Paris (14h - 18h)
- Du bleu, du blanc, du blues (16h - 17h)
- Bal latino avec Chiquita Boum-Boum (19h - 21h)

Pour les petits

Clowns (les Pétillos) dans l'espace petite enfance.
Promenades à poney (14h - 18h)

dimanche 23 juillet: LA FÊTE DANS LES PARCS

L La fête dans les parcs

Il y a toujours beaucoup à faire pour ceux qui restent en ville!

1 Lisez 'De vraies vacances pour tous'.

a Faites une liste des activités offertes à Choisy-Le-Roi.

b Que se passe-t-il dans la Nièvre pendant les vacances?

ACCEUIL DES ENFANTS EN SÉJOUR DANS LA NIÈVRE

Près de 200 enfants partis en vacances chez des familles de la Nièvre vont retrouver leurs parents au Parc de Choisy. Arrivée en musique vers 17 heures avec le Quintet latino-jazz.
Exposition photographique pour ces séjours.

---

2 À vous maintenant!
Avec vos camarades, faites des recherches à la bibliothèque.

a Trouvez des prospectus sur des activités dans les parcs ou les clubs de jeunes près de chez vous.

b Préparez une liste de mots-clés et présentez votre prospectus.

Exemple: Dans mon quartier on peut jouer au tennis.

ENFANTS De super vacances pour ceux qui restent en ville

Outre les centres aérés, plusieurs villes offrent des formules d'accueil pour les enfants (à partir de 4 ou 6 ans) et les jeunes. Sports, ateliers, sorties ou visites de fermes, les activités sont gratuites ou très peu chères. Dans certaines villes (Paris, Auch, Thionville), elles sont gérées par la mairie. Ailleurs (Laon, Besançon, Mantes, Alençon, Nevers), ce sont les maisons de jeunes ou de quartiers qui les organisent. À Pontoise, la maison des associations propose des sorties en famille. À Montreuil, les équipes d'animateurs de rue sont renforcées. Creil fourmille d'activités – du terrain d'aventures à l'initiation à l'informatique – et les équipements sportifs sont gratuits. Partout, la meilleure source de renseignements est la mairie.

Vive les vacances!

POUR VOUS AIDER

Objectifs

Décrire et comprendre les meilleurs moments des vacances *To describe and understand the best moments of the holidays*
Dire et comprendre où l'on a passé les vacances *To say and understand where you spent your holidays*
Choisir des souvenirs de vacances *To choose holiday souvenirs*

de la page 199 à la page 205

Vive les vacances! *Hurray for the holidays!*
Ces élèves sont allés en France pour les vacances *These pupils went to France for their holidays*
Marquez d'une croix sur une carte de France où les élèves sont allés *Mark with a cross on a map of France where the pupils went*
J'ai passé de bonnes vacances *I had a good holiday*
Souvenirs de vacances *Holiday souvenirs*
Qu'est-ce qu'ils ont rapporté? *What have they brought back?*
Devinez le souvenir que votre partenaire a choisi *Guess what souvenir your partner has chosen*

de la page 206 à la page 209

Compte un point pour chaque réponse 'Oui' *Count one point for each 'Yes'*
Des vacances catastrophiques! *Disastrous holidays!*
Imaginez que vous avez passé de très mauvaises vacances *Imagine that you had a really awful holiday*
Qui peut écrire la meilleure carte postale? *Who can write the best postcard?*
Ceux qui restent en ville *Those who stay in town*
Faites une liste des activités offertes . . . pendant les vacances *Make a list of activities on offer . . . during the holidays*
Que se passe-t-il . . . ? *What is happening . . . ?*

MODULE 14

Bravo!

Objectifs	*Organiser et décrire des activités 'Action – charité'.*
	Comprendre des opérations 'Charité' et une vente aux enchères.
	Demander et comprendre comment quelqu'un a ramassé de l'argent.
	Acheter quelque chose et comprendre ce que quelqu'un voudrait acheter.

A

Une classe au Lycée Français de Londres a suivi l'exemple des classes anglaises. Ils ont organisé des activités pour ramasser de l'argent pour 'S.O.S. Enfance'. Écoutez ces élèves.

J'ai nettoyé 12 voitures. J'ai ramassé une livre (£1) pour chaque voiture.

J'ai joué de la guitare en ville avec une amie. Nous avons fait ça dix samedis. Nous avons ramassé £23.26.

Écoutez encore une fois. Combien est-ce que ces élèves ont ramassé pour 'S.O.S. Enfance'?

🔊 **B** *Au Lycée Français!*

N'écrivez pas sur cette page

1 Écoutez ces élèves.
Qu'est-ce qu'ils ont fait?
Faites une liste de leurs activités en français.
Voici tous les mots nécessaires.
Les mots sont mélangés. Remettez-les dans le bon ordre.

Exemple:

Suzanne a . . .	fait	ramassé	pendant six heures
Paul a . . .	organisé	60 petits gâteaux	
Ben a . . .	trouvé	des voitures	dansé
un garçon a . . .	vendu	des sponsors	
une fille a . . .	nettoyé		
deux élèves ont . . .		une vente aux enchères	

2 Travaillez en groupe de deux.

Faites un sondage dans votre classe.

Demandez une liste des membres de votre classe à votre professeur.

Posez les questions:

– As-tu déjà ramassé de l'argent?

– Combien as-tu ramassé?

– Qu'as-tu fait?

Pour vous aider:

Aide-Mémoire

gagner de l'argent *to earn money*

J'ai nettoyé . . . *I cleaned . . .*

J'ai ramassé . . . *I collected ...*

J'ai joué de la guitare *I played the guitar*

J'ai trouvé des sponsors *I found sponsors*

J'ai fait 1000 mètres à la nage / *swam 1000 metres*

J'ai fait 40 bougies *I made 40 candles*

Je les ai vendues *I sold them*

Nous avons écrit . . . *We wrote . . .*

J'ai organisé une vente aux enchères *I organised an auction*

J'ai sauté à la corde *I skipped*

J'ai fait un marathon *I ran a marathon*

J'ai nagé dix longueurs *I swam ten lengths*

Je ramasse . . . *I collect . . .*

la tirelire *money box*

C *La vente aux enchères de Stéphanie*

1 Lisez les descriptions des objets à vendre.

VENTE AUX ENCHÈRES
pour S.O.S. ENFANCE

Venez! Venez! Venez! Venez! Venez! Venez! Venez! Venez!

Lundi, 10 juillet à 1 heure!

dans la Salle 18

Un grand choix!

VENTE Lot 12
Sandwichs pour une personne pour 3 jours! Offerts par Julie et Ben!

C'est délicieux!

VENTE LOT 13
Deux petits lapins 3 mois

VENTE Lot 14
Collection de 12 vidéos de matchs de football. Équipes très célèbres! Collection très rare.

VENTE LOT 15
JOUE DE LA GUITARE AVEC ANNE C. (CLASSE 4eB)! DEUX LEÇONS DE 30 MINUTES

Vente lot 17
Ton portrait fait par Jeanne (Classe 4eB)
Artiste célèbre!

VENTE Lot 16
2 jeux pour ordinateur. Sensationnel!

2 Maintenant, écoutez ces élèves avant la vente aux enchères.
Qu'est-ce qu'ils disent?

D *À vous le choix!*

Travaillez avec votre partenaire.
Lisez encore une fois les annonces à la page 213.
Qu'est-ce que votre partenaire voudrait acheter?

Partenaire A
Demandez ce que votre partenaire voudrait acheter.

Partenaire B
Répondez à la question.

Exemple: Qu'est-ce que tu voudrais acheter?

Notez la réponse de votre partenaire.
Quel est l'achat que les jeunes préfèrent?

E *Faites votre publicité!*

Travaillez en groupe de deux ou trois.
Faites de la publicité pour une vente aux enchères imaginaire,
ou, avec la permission de votre professeur, une vraie vente aux
enchères.
Écrivez vos annonces dix jours avant la vente aux enchères.
Après la vente, faites votre rapport.

Exemple:

Jane a acheté les lapins. Elle a payé £1.60
Steve a acheté les sandwichs de Sophie et de Patrick. Il a payé £1.00.

 F

1 Tous ces jeunes participent
à une opération 'Charité'.
Écoutez-les et choisissez le
bon logo.

A Opération saute-mouton

B Opération nez rouge

C

OPÉRATION PIÈCES JAUNES

D

AFFICHE VILLE PROPRE !

E

LES RESTAURANTS DU CŒUR
LES RELAIS DU CŒUR

2 À vous maintenant!
Voici une photo d'un groupe
de jeunes Français. Ils ont
tous fait quelque chose pour
aider les autres.
Prenez leur place et dites ce
que vous avez fait. Regardez
le poster 'Aide humanitaire' à
la page 216 pour vous aider.

Bravo!

Exemple: J'ai sauté à la corde 30 fois.

J'ai sauté à la corde.
J'ai dessiné des posters.
J'ai fait un marathon.
J'ai donné l'argent de ma tirelire – 100 francs.
J'ai nagé dix longueurs.

G *La poste participe!*

Ramasse toutes les pièces que tu as dans ta tirelire!

Lisez 'Opération pièces jaunes' et répondez aux questions.

1. Que dois-tu apporter avant le 6 février?
2. Où dois-tu aller?
3. Pour aider qui?

Le succès dépend de chacun de nous.

RECHERCHE GÉNÉTIQUE :
Les moyens de comprendre, la volonté de guérir !

Téléthon

AMITIÉ

OPÉRATION PIÈCES JAUNES

Ramasse toutes les pièces jaunes (5, 10, 20 centimes) qui traînent partout : sous les coussins du fauteuil, dans une assiette sur le réfrigérateur. Apporte-les, le 6 février, dans tous les bureaux de Poste de France. Cet argent servira à améliorer la vie des enfants hospitalisés. L'an dernier, cette opération a rapporté une tonne de monnaie, soit 300 000 francs !

Il n'y avait pas de pièce jaune sous le lit, mais ...j'ai trouvé ça... vous prenez ?

Unicef

Croix-Rouge

H *Amitié . . . amitié . . . amitié . . .*

Les jeunes écrivent.
Qui fait quoi?
Lisez ces lettres et choisissez la bonne illustration.

2

A

Moi, pour Noël, je m'occupe des enfants qui sont à l'hôpital. Je ramasse des jouets, des cassettes et des magazines et avec mes amis je vais dans les hôpitaux. Je passe mon Noël à aider les enfants malades.

B

Dans mon quartier nous faisons un journal et nous le vendons à deux francs. Nous envoyons l'argent à la Croix-Rouge. J'ai aussi gagné au concours de la Croix-Rouge.

3

D

Nous, dans notre quartier nous avons fait une 'Opération ville propre'. Tous les enfants du quartier ont nettoyé les rues et ont planté des fleurs. Maintenant notre quartier est très beau.

C

Dans mon école en Irlande, nous avons organisé une journée 'Nez rouge'. Tous les élèves et les profs ont porté un nez rouge. C'était très marrant!

1

4

I *À la radio*

Vous allez entendre cinq extraits de l'émission 'La main tendue'.
Écoutez le programme et notez en anglais ce que fait chaque personne.

Extrait	Action–charité
1	
2	
3	
4	
5	

N'écrivez pas sur cette grille

CROIX ROUGE FRANCAISE
COMITE DU HAVRE - SECOURISME

J *Opération Daniel Balavoine*

Soutenez l'association Daniel Balavoine

DESIGNATION	QUANTITÉ	PRIX UNITAIRE	FRAIS D'ENVOI	TOTAL
TEE-SHIRT		70,00 Frs	15,00 Frs	
BRIQUET		20,00 Frs	6,20 Frs	
AUTOCOLLANT Petit "Spécial Voiture"		5,00 Frs	2,50 Frs	
AUTOCOLLANT Moyen		10,00 Frs	2,50 Frs	
PIN'S		35,00 Frs	15,00 Frs	
			TOTAL	

Envoi de la commande en recommandé + 30,00 Frs

* Commande payable par chèque bancaire, chèque postal ou mandat postal à l'ordre de :

"Association Daniel Balavoine". 1 rue de la Concorde, 92600 Asnières ou par minitel 36 15 code BALA.

Nom : ....
Prénom : ....
Adresse : ....

Code Postal .... Ville : ....
Pays : ....

N.B. : Les frais d'envoi ne sont pas pris en compte lors d'une commande en recommandé.

Soutenez l'association Daniel Balavoine pour les pays du tiers monde. Achetez un T-shirt, un autocollant ou un pin's. L'argent recueilli est pour acheter des équipements scolaires tels que des livres, des cahiers, des stylos et aussi des équipements agricoles et de la nourriture.

Que savez-vous sur l'Opération Daniel Balavoine?
Lisez les phrases suivantes.
Dites si elles sont justes ou fausses.

1. L'association Balavoine aide les pays du tiers monde.

2. Tu achètes un disque et un badge.

3. Avec l'argent on achète des livres, des stylos et de la nourriture.

K

Vous vous faites sponsoriser.
Voici un formulaire de patronage.
Combien d'argent ont-ils ramassé?
Calculez et dites-le à votre professeur.

Nom: _SÉBASTIEN LECLAIR_
Organisation: _Opération_
saute-mouton

Signature: _Sébastien Leclair_

Date: _2 février_

			Total
Pierre Durand,	20 rue des Acacias, 75011 Paris, Cinq tours 'saute-mouton'	5F	25F
Dany,	5 rue des Tourterelles Six tours	2F	12F
Anne-Sophie,	24 rue Wustembourg, 10 tours	3F	30F
Mireille,	26 rue Wustembourg Quatre tours	4F	16F
Benjamin Petit,	30 rue des Tourterelles Trois tours	1F	3F

L

À vous maintenant!
En groupe de deux ou de quatre, faites un magazine 'Amitié . . . amitié . . .' (voir la page 217).
Enregistrez-vous ou faites une vidéo intitulée 'Opération amitié'.

Aide-Mémoire

amitié *friendship*
soutenez *support*
le tiers monde *the third world*
un formulaire de patronage *a sponsorship form*
plusieurs *several*
les enfants défavorisés *underprivileged children*
les gens sans abri *homeless people*
les personnes qui se trouvent dans le besoin *people in need*
il y a 20 ans *20 years ago*
une infirmière *a nurse*
un chirurgien *a surgeon*
créé(e) en . . . *set up in . . .*
a été tué *was killed*
la chaleur *warmth*

*info*CULTURE

Les institutions humanitaires en France

Le saviez-vous?

Il y a plusieurs institutions charitables en France.
Les aides les plus importantes sont:

Les Enfants de la Terre   C'est une organisation créée par Yannick Noah et sa mère qui offre des vacances aux enfants défavorisés.

S.O.S. Enfance   C'est une institution qui aide les enfants.

Médecins Sans Frontières
Cette grande organisation humanitaire, née il y a 20 ans, envoie des médecins, des infirmières et des chirurgiens dans plus de 80 pays, surtout dans le tiers monde. Elle est devenue la première association privée d'aide médicale du monde.

"Je soutiens l'Équipe de France Olympique"

COLUCHE :
LE COMIQUE AU GRAND CŒUR

Les Restaurants du Cœur
C'est une entreprise humanitaire, créée en 1985 par Coluche, un très grand comédien, chanteur et humoriste. Malheureusement, Coluche a été tué en 1986 dans un accident de moto, mais les 'Restos' continuent à aider beaucoup de gens sans abri.

Chaque hiver, de décembre à mars, les Restaurants du Cœur ouvrent leurs portes et donnent des repas, des vêtements et une chaleur familiale aux personnes qui se trouvent dans le besoin.

La Croix-Rouge existe dans le monde entier.

A.R.C.   C'est l'Association pour la Recherche sur le Cancer.

Si vous voulez en savoir plus sur Médecins Sans Frontières, écrivez à : Dominique Leguillier, Service communication-jeunesse, Médecins Sans Frontières, 8, rue Saint-Sabin, 75 011 Paris.

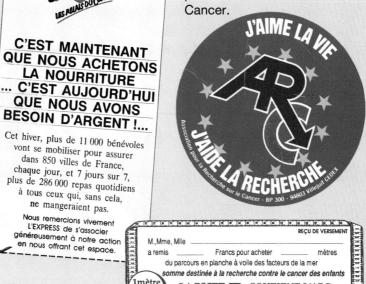

LES RESTAURANTS DU CŒUR
LES RELAIS DU CŒUR

C'EST MAINTENANT QUE NOUS ACHETONS LA NOURRITURE ... C'EST AUJOURD'HUI QUE NOUS AVONS BESOIN D'ARGENT !...

Cet hiver, plus de 11 000 bénévoles vont se mobiliser pour assurer dans 850 villes de France, chaque jour, et 7 jours sur 7, plus de 286 000 repas quotidiens à tous ceux qui, sans cela, ne mangeraient pas.

Nous remercions vivement L'EXPRESS de s'associer généreusement à notre action en nous offrant cet espace.

J'AIME LA VIE
ARC
J'AIDE LA RECHERCHE
Association pour la Recherche sur le Cancer - BP 300 - 94803 Villejuif CEDEX

REÇU DE VERSEMENT
M.,Mme, Mlle _____
a remis _____ Francs pour acheter _____ mètres
du parcours en planche à voile des facteurs de la mer
somme destinée à la recherche contre le cancer des enfants

1mètre = 1franc

LA POSTE — SOUTIENT L'ARC

📼 M *Un magazine en français*

Des élèves anglais ont demandé à leurs correspondants français d'envoyer des articles pour un magazine. Voici leur magazine.

Lisez!

♥ LE COURRIER DU CŒUR ♥

Chère Mathilde,
Je suis troublée. Je ronge mes ongles. Pendant les cours je les ronge. À la maison je les ronge. Au cinéma je les ronge. Je suis nerveuse. Je veux cesser de ronger mes ongles. Qu'est-ce que je peux faire?
Nerveuse,
Marie-Noëlle

Chère Mathilde,
Je suis confus. Qu'est-ce que je peux faire?
Le problème, c'est que mon ami, Philippe, est fou d'une fille, Céline. Il est trop timide pour parler avec elle. Qu'est-ce qu'il peut faire?
Désespéré,
Sébastien

Chère Mathilde,
Je pense aux enfants dans le tiers monde qui n'ont pas assez de nourriture.
Qu'est-ce que je peux faire pour aider ces enfants?
Grégoire

Les mains ouvertes

Salut!
Des sportifs célèbres aident 'S.O.S. Enfance'. Ils organisent des tournois de tennis, des marathons, etc. Tout l'argent reçu va à 'S.O.S. Enfance' ou bien aux 'Enfants de la Terre'. C'est chouette – milliers d'enfants peuvent aller en vacances.
Si on organisait quelque chose à l'école?
Albertine

Avez-vous entendu les nouvelles . . . ?

On va kidnapper le Directeur ... le prof d'anglais sort avec le prof de sciences naturelles ... le prénom du prof de géographie est Basil ... Adrian sort avec Christine ... Céline, l'assistante française, a les cheveux verts ... le prof de maths est très intelligent – il parle chinois ... un homme mystérieux a donné des fleurs à la secrétaire du Directeur ... Linda est folle de Chris ... le prof de biologie a mangé une grenouille ...

Un petit poème:
Les nombres et les couleurs

Le un c'est brun
Le deux c'est bleu

Un et un font bleu
Bleu et bleu font quatre

Devinette

QUI SUIS-JE?

Bonjour!
J'ai quatorze ans. J'ai les cheveux assez longs et bruns. Je suis assez belle. J'ai les yeux bleus. Je suis britannique. J'aime manger les spaghetti. J'ai une sœur mais je n'ai pas de frère. J'ai un chien et deux chats. QUI SUIS-JE?

Bonjour!
J'ai quatorze ans. Je suis mince. Je suis grand. J'ai les cheveux très courts. J'ai les yeux marron. J'ai les cheveux bruns. J'aime bien faire du sport et nager. J'ai deux poissons rouges et un hamster. Je suis très intelligent! QUI SUIS-JE?

Concours
Imitez ces articles! Inventez d'autres!
Écrivez un magazine à la main ou sur ordinateur. Vendez-le à 20 pence et donnez l'argent à une opération 'Charité'.

1. Jenny
2. Laura
3. Robert
4. Patrick

Aide-Mémoire

le courrier du cœur the problem page
confus(e) confused
Qu'est-ce que je peux faire? What can I do?
fou/folle de . . . crazy about . . .
timide shy
désespéré(e) desperate
troublé(e) worried
Je ronge mes ongles I bite my nails
nerveux/nerveuse nervous
cesser to stop
des sportifs célèbres famous sports personalities
tout l'argent reçu all the money received
ou bien or else
milliers d'enfants thousands of children
Si on organisait quelque chose? What about organising something?

POUR VOUS AIDER

Objectifs

Organiser et décrire des activités 'Action–charité' *To organise and describe charitable events*

Comprendre des opérations 'charité' et une vente aux enchères *To understand charity organisations and an auction*

Demander et comprendre comment quelqu'un a ramassé de l'argent *To ask and understand how someone has collected money*

Acheter quelque chose et comprendre ce que quelqu'un voudrait acheter *To buy something and understand what someone would like to buy*

de la page 211 à la page 214

Bravo! *Well done!*

Une classe au Lycée Français a suivi l'exemple … *A class at the Lycée Français has followed the example …*

Combien est-ce que ces élèves ont ramassé? *How much did these pupils raise?*

Demandez une liste des membres de votre classe à votre professeur *Ask your teacher for a list of pupils in the class*

Lisez les descriptions des objets à vendre *Read the descriptions of items for sale*

Écoutez ces élèves avant la vente aux enchères *Listen to these pupils before the auction*

Qu'est-ce que votre partenaire voudrait acheter? *What does your partner want to buy?*

Quel est l'achat que les jeunes préfèrent? *Which item is the most popular with young people?*

de la page 215 à la page 216

Écrivez vos annonces dix jours avant la vente aux enchères *Write your adverts ten days before the auction*

Après la vente, faites votre rapport *After the sale, write a report*

Tous ces jeunes participent à une opération 'charité' *All these young people are taking part in charity work*

Ils ont tous fait quelque chose pour aider les autres *They have all done something to help other people*

Regardez le poster 'Aide humanitaire' *Look at the 'Humanitarian aid' poster*

La poste participe! *The post office joins in!*

de la page 218 à la page 221

Vous allez entendre cinq extraits de l'émission 'La main tendue' *You will hear five excerpts from the programme 'The Outstretched Hand'*

Soutenez l'association Daniel Balavoine pour les pays du tiers monde *Support the Daniel Balavoine Association for third world countries*

L'argent recueilli est pour acheter des équipements scolaires … *The money collected will buy school equipment …*

Vous vous faites sponsoriser *You are getting yourself sponsored*

Combien d'argent ont-ils ramassé? *How much money have they collected?*

Des élèves anglais ont demandé à leurs correspondants d'envoyer des articles *Some English pupils have asked their penfriends to send articles*

C'EST TON PROFIL

Coche ce que tu as appris.

Maintenant je peux . . .

	Si tu es prêt(e), tu coches ✓			Si tu ne peux pas, mets une croix ⊠ et révise la page . . .
	bien	moyen	pas très bien	
dire et comprendre comment des jeunes ont passé leurs vacances	☐	☐	☐	**200**
choisir et acheter des souvenirs de vacances	☐	☐	☐	**204**
écrire une carte postale pour décrire mes vacances	☐	☐	☐	**207**
dire ce que j'ai fait pendant les vacances	☐	☐	☐	**208**
décrire et comprendre comment des jeunes ont ramassé de l'argent pour S.O.S. Enfance	☐	☐	☐	**211**
dire ce que j'ai fait pour ramasser de l'argent pour une institution humanitaire	☐	☐	☐	**213**
comprendre les petites annonces et faire de la publicité pour une vente aux enchères	☐	☐	☐	**213**
dire ce que je voudrais acheter et écrire ce que d'autres ont acheté	☐	☐	☐	**214**
donner et comprendre quelques détails sur les institutions humanitaires en France	☐	☐	☐	**220**
écrire un article en français pour un magazine	☐	☐	☐	**221**

N'écrivez pas sur cette page

Notes de Grammaire

Prepositions

When talking about *how* you travel in English you use the preposition 'by'. For example: I go to school *by* car; We travelled to America *by* plane; She went *by* train.

In French there are three different ways of saying 'by':

Je vais à l'école **à** pied.
Nous sommes allés **en** avion.
Elle est allée **par le** train.

The best way of knowing which preposition to use is through constant use and practice. Here is the list:

en	à	par le
aéroglisseur	cheval	train
avion	moto	
autobus	pied	
bateau		
taxi		
vélo		
voiture		

Negatives

To make a sentence negative in French you put the words **ne** and **pas** around the verb. For example:

Je **ne** fais **pas** mes devoirs. *I don't do my homework.*

Elle **ne** joue **pas** au football. *She doesn't play football.*

If the verb starts with a vowel (**a,e,i,o,u**) then the **ne** is shortened to **n'**. For example:

Je **n'**aime **pas** l'école. *I don't like school.*
Other negatives are **ne . . . jamais** (*never*) and **ne . . . plus** (*no longer/no more*).

Toujours, souvent, quelquefois

These three words can enable you to say how often you do something.

toujours *always*
souvent *often*
quelquefois *sometimes*

They should be used directly after the verb. For example:

Je vais **souvent** à la discothèque. *I often go to the discotheque.*
Il se lève **toujours** à six heures. *He always gets up at six o'clock.*
Nous faisons **quelquefois** du vélo. *We sometimes ride our bikes.*

Quelle heure est-il?

To tell the time in French, you must know your numbers. Remember to put the hours first and then the minutes:

Il est une heure. *It is one o'clock.*

Notes de grammaire

Il est une heure et quart. *It is quarter past one.*

Il est une heure moins le quart. *It is quarter to one.*

Il est une heure et demie. *It is half past one.*

Il est une heure dix. *It is ten past one.*

Il est une heure moins cinq. *It is five to one.*

• Remember

1. You never use the number **douze** for twelve o'clock:

   Il est midi = It is twelve o'clock (midday)

   Il est minuit = It is twelve o'clock (midnight)

2. When you want to say 'half past twelve' there is no **e** at the end of **demi**. Note the spelling:

   Il est midi et demi. *It is half past twelve (midday).*

   Il est minuit et demi. *It is half past twelve (midnight).*

3. 'It is one o'clock' is **Il est une heure** (no **s** at the end of **heure**).

4. When time is written in figures, **heures** is abbreviated to **h**. Examples: **1h, 3h, 4h20,** etc.

5. In official time (timetables, cinemas, programmes, etc.) the 24-hour clock is used. A good way to remember the 24-hour clock is to start from the hours after midday – numbers 13 to 24.

13 treize heures *1 o'clock*
14 quatorze heures *2 o'clock*
15 quinze heures *3 o'clock*
16 seize heures *4 o'clock*
17 dix-sept heures *5 o'clock*
18 dix-huit heures *6 o'clock*
19 dix-neuf heures *7 o'clock*
20 vingt heures *8 o'clock*
21 vingt et une heures *9 o'clock*
22 vingt-deux heures *10 o'clock*
23 vingt-trois heures *11 o'clock*
24 vingt-quatre heures *midnight*

• Rappel: Numbers 1 to 2000

0	zéro
1	un, une
2	deux
3	trois
4	quatre
5	cinq
6	six
7	sept
8	huit
9	neuf
10	dix
11	onze
12	douze
13	treize
14	quatorze
15	quinze
16	seize
17	dix-sept
18	dix-huit
19	dix-neuf
20	vingt
21	vingt et un
22	vingt-deux
23	vingt-trois
30	trente
31	trente et un
40	quarante
50	cinquante
60	soixante
70	soixante-dix
71	soixante et onze
72	soixante-douze
80	quatre-vingts
81	quatre-vingt-un
82	quatre-vingt-deux
90	quatre-vingt-dix
91	quatre-vingt-onze
92	quatre-vingt-douze
100	cent
101	cent un
200	deux cents
300	trois cents
1000	mille
2000	deux mille

• *Rappel: Days of the week*

Days: **Les jours de la semaine**

lundi *Monday*
mardi *Tuesday*
mercredi *Wednesday*
jeudi *Thursday*
vendredi *Friday*
samedi *Saturday*
dimanche *Sunday*

Months: **Les mois de l'année**

janvier *January*
février *February*
mars *March*
avril *April*
mai *May*
juin *June*
juillet *July*
août *August*
septembre *September*
octobre *October*
novembre *November*
décembre *December*

Remember that capital letters are not used with the days and months in French.

Adjectives

Adjectives are 'describing' words and in French they have to agree with the words they describe. Adjectives have special endings for masculine, feminine and plural words. Most adjectives follow this pattern:

For feminine words, add an **e**, e.g.
Elle est très petit**e**.
For plural words, add an **s**, e.g.
Ils sont assez grand**s**.
For feminine plural words, add **es**, e.g.
Elles sont petit**es**.
Adjectives which already end in **e** have no different feminine form, e.g.
Il est mince.
Elle est mince.
Some adjectives double their last letter before adding an **e** for the feminine form, e.g.
Il est gros.
Elle est gros**se**.

Très, assez

These two words can be used to adapt the adjective you are using. They must always come directly in front of the adjective. Examples:

Michelle est **très** jolie. *Michelle is very pretty.*
Paul est **assez** grand. *Paul is quite big.*

Making comparisons

To compare one thing with another, you use **plus** *(more)*, **moins** *(less)*, or **aussi** *(as)* in front of the adjective and **que** after it. The adjective itself agrees with the noun in the normal way. For example:

Marc est **plus petit que** Jean. *Marc is smaller than Jean.*
Pauline est **moins grande que** Chantal. *Pauline is smaller than Chantal.*
Je suis **aussi mince que** toi! *I am as slim as you!*

On

It is very common to use **on** in French. In spoken French **on** is used as often as **nous.** **On** uses the part of the verb that normally goes with **il** or **elle**. Examples:

On va au concert ce soir. *We are going to a concert this evening.*
On fait du vélo? *Shall we go for a bike ride?*
On regarde la télé? *Shall we watch T.V.?*
On peut acheter des souvenirs. *You/One can buy souvenirs.*

The idea of the person is not specific, and can be translated as *we/you/people*, etc. depending on the sentence.

Notes de grammaire

The perfect tense (past tense)

The perfect tense is used to describe what you have done and where you have been, last week or at some time in the past. It is always made up of two parts, and uses the verb **avoir** or **être** in the present tense, along with a past participle.

To form the past participle of **-er** verbs, drop the **-er** ending and add **-é**. For example:

Jouer *To play*

Drop **-er**, add **-é** and you get **joué** *(played)*.
Hier, j'ai **joué** au tennis. *Yesterday I played tennis.*

To form the past participle of **-ir** verbs, drop the **-ir** and add **-i**. For example:

Finir *To finish*

J'ai **fini** mes devoirs. *I have finished my homework.*

To form the past participle of **-re** verbs, drop the **-re** and add **-u**. For example:

Vendre *To sell*

Samedi dernier, j'ai **vendu** mon vélo. *I sold my bike last Saturday.*

• Some verbs are irregular and should be learnt by heart. **Faire** *to do/to make* is an example of an irregular verb. Its past participle is **fait**:

J'ai **fait** mes devoirs. *I have done my homework.*

Other examples are: **lire** *to read* (**J'ai lu**) and **être** *to be* (**J'ai été**).

Check the past participle with your teacher before trying to form the past tense of verbs you are not sure of.

The perfect tense with 'être'

Most verbs use **avoir** as their 'auxiliary' verb when forming the perfect tense. There are however about 16 verbs which use **être** to form the perfect. Most of them can be remembered as pairs of opposites:

Infinitive		Past participle
aller	*to go*	**allé**
venir	*to come*	**venu**
entrer	*to enter*	**entré**
sortir	*to go out*	**sorti**
arriver	*to arrive*	**arrivé**
partir	*to leave*	**parti**
monter	*to go up*	**monté**
descendre	*to go down*	**descendu**
naître	*to be born*	**né**
mourir	*to die*	**mort**
rester	*to stay*	**resté**
revenir	*to come back*	**revenu**
tomber	*to fall*	**tombé**
devenir	*to become*	**devenu**

For these verbs, the past participle has to agree with the subject. For example, if the subject is feminine you add an **e** to the past participle and if it is plural you have to add an **s**. (For feminine and plural, add **es**.) Examples:

Elle est allé**e** au cinéma.
Nous sommes allé**s** au café.
Elles sont allé**es** en ville.

Expressions with 'avoir'

In French there are several expressions which use the verb **avoir** where in English the verb 'to be' is used. For example:

avoir chaud *to be hot*
avoir froid *to be cold*
avoir faim *to be hungry*
avoir soif *to be thirsty*
avoir mal . . . *to be ill/have a pain . . .*

When using the phrase **avoir mal** to say where you have a pain, you need to remember the following rules:

J'ai mal au + masculine words, e.g.
J'ai mal **au** pied. *I have a sore foot.*
J'ai mal à la + feminine words, e.g.
Elle a mal **à la** tête. *She has a headache.*

J'ai mal à l' +words starting with a vowel, e.g.
Il a mal **à l'**œil. *He has a pain in his eye.*
J'ai mal aux + plural words, e.g.
Nous avons mal **aux** dents. *We have toothache.*

The future tense using 'aller'

You can talk about what you are *going to do* in the future by using the verb **aller** together with another verb in the infinitive.

Je vais . . .	jouer au tennis.
	I am going to play tennis.
Tu vas . . .	aller au cinéma.
Il va . . .	faire de la voile.
Elle va . . .	regarder la télé.
Nous allons . . .	écouter des cassettes.
Vous allez . . .	faire des courses.
Ils vont . . .	nager.
Elles vont . . .	sortir.

Devoir

The verb **devoir** is used together with the infinitive of another verb to say what you *have to* or *must* do. The present tense of **devoir** is as follows:

je dois *I must*
tu dois *you must*
il doit *he must*
elle doit *she must*
nous devons *we must*
vous devez *you must*
ils doivent ⎫
elles doivent ⎭ *they must*

Look at these examples. What do these people have to do?

1. Je dois ranger ma chambre!
2. Tu dois faire tes devoirs!
3. Il doit se coucher!
4. Nous devons laver la voiture!
5. Nous devons faire des courses!
6. Elles doivent faire la lessive!

Faire

This verb is used to describe how you do some sports and hobbies. Here it is in full:

je fais	nous faisons
tu fais	vous faites
il fait	ils font
elle fait	elles font

When talking about *which* activity you are doing you will need to use either **du, de la, de l'** or **des** after the verb. Which one you use depends on whether that activity is masculine, feminine, starts with a vowel or is plural.

You use **faire du** + masculine words (e.g. Je fais **du** vélo)
de la +feminine words (e.g. Elle fait **de la** natation)
de l' + words starting with a vowel (e.g. Nous faisons **de l'**équitation)
des + plural words (e.g. Ils font **des** courses)

Jouer

This verb is used to describe which sports and games you play, or which instruments you play. With sports or games you use either **au** or **aux** after the verb, depending on whether the activity is a masculine word or a plural word. Examples:

Je joue **au** tennis. *I play tennis.*
Elle joue **au** hockey. *She plays hockey.*
Ils jouent **aux** cartes. *They play cards.*
Nous jouons **aux** échecs. *We play chess.*

With musical instruments, the verb **jouer** has to be followed by:

du + masculine words (e.g. Je joue **du** violon)
de la + feminine words (e.g. Il joue **de la** trompette)
de l' + words starting with a vowel or an **h** (e.g. Tu joues **de l'**harmonica)
des + plural words.

Notes de grammaire

Reflexive verbs

These verbs are unusual in that they have an extra word – a pronoun – included in them. This pronoun reflects back on the subject of the verb (i.e. the person who is doing the action of the verb.) For example: Je **me** lève; Tu **te** couches; Elles **se** lavent.
The pronouns correspond to the words *myself, yourself, himself, herself*, etc.

Here is a typical reflexive verb in full:

Se laver *To wash oneself/get washed*
je me lave *I get washed*
tu te laves *you get washed*
il se lave *he gets washed*
elle se lave *she gets washed*
nous nous lavons *we get washed*
vous vous lavez *you get washed*
ils se lavent *they get washed (boys)*
elles se lavent *they get washed (girls)*

Many of the daily routine verbs are reflexive verbs:

se réveiller *to wake up*
se lever *to get up*
se coucher *to go to bed*
s'habiller *to get dressed*

Other useful reflexive verbs include:
s'amuser *to enjoy oneself*
se dépêcher *to hurry (oneself) up*
s'intéresser à *to be interested in*

S'intéresser à . . .

If you want to say what you are interested in you use the reflexive verb **s'intéresser à . . .** The end of the phrase changes according to *what* you are interested in. For example:

Je m'intéresse **à la** natation.   *I am interested in swimming.*
Elle s'intéresse **au** jardinage.   *She is interested in gardening.*
Nous nous intéressons **à l'**informatique.   *We are interested in programming.*

Ils s'intéressent **aux** animaux.   *They are interested in animals.*

As before you use **au** + masculine words
à la + feminine words
à l' + words starting with a vowel
aux + plural words.

Imperatives

To tell someone to do something in French you use the *imperative* form of the verb. If you want to give advice, instructions or orders, this is what you need to do: you simply use the **tu** or **vous** form of the verb without the **tu** or **vous**. Examples:

Restez en forme!   *Keep fit!*
Regardez le tableau!   *Look at the board!*
Écoutez-moi!   *Listen to me!*
Fais attention!   *Pay attention!*

With **-er** verbs you have to drop the **s** from the **tu** form.
Mange des légumes!   *Eat some vegetables!*
Lave la voiture!   *Wash the car!*

Il faut/Il ne faut pas

The expression is used to say what you have to or what it is necessary to do. **Il faut** always has the same form and is followed by an infinitive. For example:

Il faut faire du sport tous les jours.
Il faut manger sain.
Il ne faut pas manger trop de bonbons.

Notice how the negative form can be used to say what you must *not* do.

Lexique

A

  à *to, at*
un **abri** *shelter*
s' **abriter** *to shelter*
  accepter *to accept*
  accompagner *to accompany*
être d' **accord** *to be in agreement*
d' **accord!** *O.K.!*
  accorder les violons *to see eye to eye*
un **achat** *purchase*
  acheté *bought*
  acheter *to buy*
les **actualités** *(f.pl)* *the news*
  additionner *to add up*
un **adjectif** *adjective*
  adorer *to love*
les **ados** *(m.pl)* *adolescents*
l' **aérobique** *(f)* *aerobics*
un **aéroglisseur** *hovercraft*
  afficher *to stick up, put up*
un **agenda** *diary*
  agile *agile*
s' **agir** *to be about, to be a matter of*
de quoi s' **agit-il?** *what's it all about?*
  agréable *pleasant*
  agressif, agressive *aggressive*
l' **aide** *(f)* *help*
  aider *to help*
  Aïe! *Ouch!*
d' **ailleurs** *besides*
  ailleurs *elsewhere*
  aimer *to like, to love*
  ainsi que *as well as, the same way as*
l' **air** *(m)* *air*
  ajouter *to add*
  alléché *tempted*

  allemand *German*
  aller *to go*
  allongé *long*
  allumé *lit*
  alors *so, then*
  amener *to take*
  américain *American*
un **ami** *friend (male)*
une **amie** *friend (female)*
l' **amitié** *(f)* *friendship*
  Amitiés *love from*
un film d' **amour** *love story (film)*
l' **amour** *(m)* *love*
  amoureux, amoureuse *in love*
une **ampoule** *bulb*
  amusant *fun, funny*
un **ananas** *pineapple*
un **ancêtre** *ancestor*
un **âne** *donkey, ass*
  anglais *English*
un **animal** *animal*
les **animaux** *(m.pl)* *animals*
un **anneau** *ring, circle*
une **année** *year*
une **annonce** *announcement, advert*
  antidérapant *non-slip*
l' **apesanteur** *(f)* *weightlessness*
un **appareil(-photo)** *camera*
s' **appeler** *to be called*
  appliquer *to apply*
  apporter *to bring*
l' **appréciation** *(f)* *appreciation*
  apprendre *to learn*
  appuyer *to lean on*
un **après-midi** *afternoon*
un **arbre** *tree*
un **arc-en-ciel** *rainbow*
l' **archéologie** *(f)* *archaeology*
l' **argent** *(m)* *money, silver*
une **armoire** *wardrobe*

une **arrivée** *arrival*
  arriver à quelqu'un *to happen to somebody*
  arriver *to arrive*
l' **art dramatique** *(m)* *drama*
un **article** *article*
un **artiste** *performer, star*
  assez *quite*
  assez de *enough*
  astrologique *astrological*
l' **athlétisme** *(m)* *athletics*
un **atlas** *atlas*
  attendre *to wait*
  attentivement *attentively*
  aujourd'hui *today*
  aussi *also*
  aussi . . . que . . . *as . . . as . . .*
  authentique *real, authentic*
un **autobus** *bus*
un **autocollant** *sticker*
  autoritaire *authoritarian, bossy*
  autour *around*
  autre *other*
  autrefois *in days gone by*
  avaler *to swallow*
  avant *before*
  avec *with*
  aventure *adventure*
un film d' **aventures** *adventure film*
  aventurier, aventurière *adventurous*
un **avion** *plane*
un **avion spatial** *space ship*
un **avis** *opinion*
  avoir *to have*

B

le **babyfoot** *table football*
la **bague** *ring*

bâiller *to yawn*
le **bain** *bath*
baisser *to lower*
la **balade à bicyclette** *bicycle ride*
la **balade** *walk, hike*
faire une **balade** *to go for a walk, stroll*
le **baladeur** *personal stereo*
la **balle** *ball*
les **ballerines** (f.pl) *flat pumps*
le **ballon** *ball*
le **bambou** *bamboo*
la **banane** *banana*
la **bande adhésive** *stick-on strip*
la **bande dessinée** *comic strip*
la **banlieue** *suburbs*
quelle **barbe!** *what a nuisance!*
le **barbecue** *barbecue*
la **barre chocolatée** *chocolate bar*
basculer *to wobble*
le **basket** *basketball*
les **baskets** (m.pl) *trainers*
le **bateau** *boat*
battre les records *to break the records*
beau, belle *fine, handsome, beautiful*
faire **beau** *to be fine weather*
beaucoup *many, a lot*
le **bec** *beak*
la **bêche** *spade*
belge *Belgian*
le **bermuda** *Bermuda shorts*
le **besoin** *need*
avoir **besoin de** *to need*
beurré *buttered*
le **beurre** *butter*
la **bibliothèque** *library*
la **bicyclette** *bicycle*
bien *well, good*
ou **bien** *or else*
bientôt *soon*
la **bière** *beer*
le **billet** *ticket*
le **bisou** *kiss*
bizarre *odd, strange*
blanc/blanche *white, blank*
bleu *blue*
blond *blond*
le **blouson** *jacket*
le **bobo** *pain*
le **body** *leotard*
boire *to drink*
le **bois** *wood*
la **boisson** *drink*
la **boîte** *nightclub, tin*
la **boîte à couture** *sewing box*
bon, bonne *good, correct*
le **bonbon** *sweet*

bonne chance! *good luck!*
à **bord de . . .** *on board . . .*
la **botte** *bunch*
la **bouche** *mouth*
boucler *to fasten*
les **boucles d'oreille** (f.p) *earrings*
la **bougie** *candle*
la **bouillotte** *hot water bottle*
la **boule** *bowling ball, crystal ball*
la **boum** *party*
la **boussole** *compass*
le **bout** *end*
la **bouteille** *bottle*
le **bouton** *spot*
branché *'with-it'*
le **bras** *arm*
le **brassard** *armband*
le **bricolage** *D.I.Y.*
brillant *shining*
britannique *British*
la **brochette** *kebab*
la **brochure** *brochure*
la **brosse à dents** *toothbrush*
le **brouillard** *fog*
faire du **brouillard** *to be foggy*
le **bruit** *noise, sound*
brun *brown*
la **bulle** *bubble*
la **burette** *oil can*

C

le **câble** *cable*
cacher *to hide*
le **cadeau** *present, gift*
le **cadre** *frame*
le **café** *coffee, café*
le **cahier** *exercise book*
le **calendrier** *calendar*
le **calepin** *notebook*
le/la **camarade** *friend*
le **camion** *lorry*
la **campagne** *countryside*
à la **campagne** *in the countryside*
le **camping** *camping*
la **canne à pêche** *fishing rod*
le **canoë-kayak** *canoeing*
car *for, because*
le **caractère** *character*
la **caricature** *caricature*
le **carnaval** *carnival*
le **carnet** *report, book*
la **carotte** *carrot*
le **carré** *square*
le **cartable** *schoolbag*
la **carte** *map, card*
la **carte postale** *postcard*
la **case** *box*
le **casque** *(crash) helmet*

la **casquette** *cap*
casser *to break*
la **casserole** *saucepan*
la **cassette** *tape*
le **cassis** *blackcurrant*
la **castagnette** *castanet*
le **catadioptre** *reflector*
catastrophique *catastrophic*
le **catch** *wrestling*
la **cathédrale** *cathedral*
ce, cet, cette *this*
céder *to give in*
la **ceinture** *belt*
célèbre *famous*
le **centre commercial** *shopping centre*
le **centre sportif** *sports centre*
cercler *to circle*
la **céréale** *cereal*
la **cérémonie** *ceremony*
ces *these*
cesser *to stop, cease*
chacun *each one*
la **chaîne** *chain*
la **chair de poule** *goose pimples*
avoir la **chair de poule** *to have goose pimples*
la **chaleur** *heat*
la **chambre** *room*
le **champion** *champion (male)*
la **championne** *champion (female)*
la **chance** *luck*
la **chanson** *song*
chanter *to sing*
le **chanteur** *singer (male)*
la **chanteuse** *singer (female)*
le **chapeau** *hat*
chaque *each*
charger *to load up*
la **charité** *charity*
chasser *to chase*
le **chat** *cat*
châtain (inv.) *chestnut brown*
le **château** *castle, country house*
chaud *hot*
avoir **chaud** *to feel hot*
faire **chaud** *to be hot*
chauffer *to heat*
la **chaussette** *sock*
la **chaussure** *shoe*
le **chemin** *path, way*
la **chemise** *shirt*
cher, chère *dear*
chercher *to look for*
le **cheval** *horse*
les **cheveux** (m.pl) *hair*
la **cheville** *ankle*
chez *to, at the home of*
chez le médecin *to/at the doctor's*

chic! *great!*
le **chien** *dog*
le **chiffon** *duster, cloth*
les **chips** *(m.pl) crisps*
le **chirurgien** *surgeon*
le **chocolat** *chocolate*
choisir *to choose*
le **choix** *choice*
la **chose** *thing*
chouette! *great!*
se **chronométrer** *to time oneself*
la **chute** *fall*
ci-dessous *beneath, below*
ci-dessus *above*
le **ciel** *sky*
le **cinéma** *cinema*
le **cirque** *circus*
les **ciseaux** *(m.pl) scissors*
le **citron** *lemon*
la **classe** *class*
le **clavier** *keyboard*
le **club des jeunes** *youth club*
cocher *to tick*
le **cœur** *heart*
le **coin** *corner*
en **colère** *angry*
le **collant** *tights*
collectionner *to collect*
le **collège** *school*
coller *to stick*
combien *how many, how much*
comique *comic*
comme *as, for*
commencer *to start, begin*
comment *how*
la **comparaison** *comparison*
comparer à *to compare with*
comprendre *to understand*
compter *to count*
le **concert** *concert*
le **concombre** *cucumber*
le **concours** *competition*
la **confiture** *jam*
la **confiture d'orange** *marmalade*
confus *confus*
connaître *to know*
le **conseil** *piece of advice*
consulter *to consult*
contenir *to contain*
se **contracter** *to tense, tighten*
contre *against*
la **conversation** *conversation*
en pleine **conversation** *deep in conversation*
le **copain** *male friend*
la **copie** *copy*
copier *to copy*
la **copine** *female friend*

le **coquillage** *shell*
le **corbeau** *crow*
la **corde** *rope, skipping rope*
le **cornichon** *gherkin*
le **corps** *body*
le **correspondant** *pen friend (male)*
la **correspondante** *pen friend (female)*
corriger *to correct*
le **costume** *costume*
la **côte** *rib*
à côté de *next to . . .*
la **côtelette** *chop*
le **cou** *neck*
se **coucher** *to go to bed*
le **coude** *elbow*
la **couleur** *colour*
le **coup de foudre** *love at first sight*
le **coup de soleil** *sunburn*
couper *to cut*
courir *to run*
la **couronne** *crown*
le **courrier** *post*
le **courrier du cœur** *problem page*
le **cours** *lesson*
la **course** *race*
les **courses** *(f.pl) shopping*
faire des **courses** *to go shopping*
court *short*
le **court** *court*
le **couteau** *knife*
coûter *to cost*
le **couvercle** *cover, lid*
la **couverture** *blanket*
craquer pour *to be desperate for*
la **cravate** *tie*
le **crayon** *pencil*
créé *created*
créer *to create*
la **crème (solaire)** *(sun) cream*
la **crêpe** *pancake*
creux *empty (stomach)*
la **crevaison** *puncture*
crevé *worn out*
croire *to believe*
la **croisière** *cruise*
la **croissance** *growth*
la **croix** *cross*
le **croque-monsieur** *toasted cheese and ham sandwich*
la **crosse** *hockey stick*
la **cuillère à soupe** *dessert spoon*
la **cuillerée** *spoonful*
le **cuir** *leather*
en **cuir** *made of leather*

cuire *to cook*
la **cuisine** *kitchen, cooking*
faire la **cuisine** *to cook*
curieux, curieuse *curious*
le **cyclisme** *cycling*
le **cycliste** *pair of cycling shorts*

D

le **daim** *suede*
dans *in*
la **danse** *dancing, dance*
danser *to dance*
la **date** *date*
la **date de naissance** *date of birth*
le **dauphin** *dolphin*
de *from, of*
se **débrouiller** *to get by, to manage*
le **début** *beginning*
le **décalage horaire** *time difference*
déchirer *to rip, tear*
décidément *definitely, certainly*
décider *to decide*
découper *to cut up, cut out*
la **découverte** *discovery*
découvrir *to discover*
décrire *to describe*
dedans *inside*
défavorisé *underprivileged*
le **défilé** *parade*
dégonfler *to let down*
le **degré** *degree*
déjà *already*
déjeuner *to have lunch*
le **déjeuner** *lunch*
le petit **déjeuner** *breakfast*
le **délice** *delight*
délicieux, délicieuse *delicious*
demain *tomorrow*
demander *to ask (for)*
bien **démarrer** *to get off to a good start*
demi *half*
le **demi-kilo** *half a kilo*
le **dentiste** *dentist*
les **dents** *(f.pl) teeth*
le **départ** *departure*
se **dépêcher** *to hurry up*
se **déplacer** *to get around*
le **déplantoir** *trowel*
depuis *for, since*
dernier, dernière *last, latest*
derrière *behind*
la **description** *description*
désespéré *desperate*

désolé *sorry*
désormais *from now on*
le **dessin** *picture*
le **dessin animé** *cartoon film*
le **dessinateur** *artist*
dessiner *to draw*
dessous *underneath*
dessus *above*
le **détail** *detail*
détester *to detest, hate*
devant *in front of*
devenir *to become*
deviner *to guess*
la **devinette** *riddle*
devoir *to have to*
les **devoirs** (m.pl) *homework*
le **diabolo-menthe** *fizzy mint drink*
le **diamètre** *diameter*
le **dico** *dictionary (abbr.)*
le **dictionnaire** *dictionary*
les **dieux** (m.pl) *gods*
différent *different*
dimanche *Sunday*
dîner *to dine, eat a main meal*
le **dîner** *supper*
dire *to say, tell*
la **discothèque** *disco*
discuter *to discuss*
se **disputer** *to argue with*
le **disque** *record, disc*
la **disquette** *computer disc*
divers *divers, varied, several*
se **diviser** *to divide oneself*
la **djellaba** *jellaba*
le **docteur** *doctor*
le **documentaire** *documentary*
le **dodo** *comforter*
le **doigt** *finger*
les **doigts de pied** *toes*
doit *should, must*
dominer *to dominate*
donner *to give*
dormir *to sleep*
le **dos** *back*
le **dossier** *file*
doucement *gently*
la **douche** *shower*
se **doucher** *to have a shower*
la **draisienne** *hobby-horse*
le **drapeau** *flag*
droit *straight*
à **droite** *on, to the right*
la **droite** *right*
droitier, droitière *right-handed*
drôle *funny*
dur *hard*
dynamique *dynamic*
la **dynamo** *dynamo*

E

l' **eau** (f) *water*
échanger *to exchange*
une **écharpe** *scarf*
s' **échauffer** *to warm up*
les **échecs** (m.pl) *chess*
un **échiquier** *chess board*
éclairer *to light up*
une **école** *school*
une **école du soir** *night school*
l' **écologie** (f) *ecology*
l' **écorce** (f) *bark*
écouter *to listen to*
un **écran** *screen*
écrire *to write*
un **écrou** *nut*
un **effort** *effort*
une **église** *church*
un **éléphant** *elephant*
un/une **élève** *pupil*
éliminer *to eliminate, knock out, rule out*
elle *she, her*
elles *they (f.pl)*
d' **emblée** *straight away, at once*
une **émission** *broadcast, programme*
emmener *to take*
encore *again*
endormi *sleepy*
s' **endormir** *to fall asleep*
un **endroit** *place*
l' **énergie** (f) *energy*
énervé *stimulated, irritated, annoyed*
l' **enfance** (f) *childhood*
d' **enfer** *'cool'*
enfin *at last*
s' **enfoncer** *to sink in*
ennuyeux, ennuyeuse *boring*
énorme *huge*
une **enquête** *survey, inquiry*
enregistrer *to record*
ensemble *together*
ensuite *then, next*
entendre *to hear*
entier, entière *whole*
l' **entraînement** (m) *training*
entre *between*
une **entrée** *entrance*
une **entreprise** *enterprise*
entrer *to enter*
à l' **envers** *upside down*
avoir **envie de** *to want to*
envoyer *to send*
une **épaule** *shoulder*
une **épinglette** *pin, badge*
une **épluchure** *peeling*

une **éponge** *sponge*
une **époque** *time, age, era*
un film d' **épouvante** *horror film*
les **époux** (m.pl) *husband and wife*
un **équilibre** *balance*
une **équipe** *team*
les **équipements scolaires** (m.pl) *school equipment*
les **équipements agricoles** (m.pl) *farm equipment*
l' **équitation** (f) *horse riding*
un **équivalent** *equivalent*
une **erreur** *mistake, error*
l' **escrime** (f) *fencing*
l' **espace** (m) *space*
espagnol *Spanish*
espérer *to hope*
essayer *to try*
est *is*
et *and*
étaler *to spread*
un **état** *state*
les **États-Unis** (m.pl) *United States*
éternuer *to sneeze*
une **étiquette** *label*
une **étoile** *star*
s' **étonner** *to be surprised*
étourdi *scatter-brained*
étranger, étrangère *foreign*
à l' **étranger** *abroad*
être *to be*
étudier *to study*
une **évasion** *escape*
un **éventail** *fan*
une **excuse** *excuse*
l' **exercice** (m) *exercise*
une **expérience** *experience*
expirer *to breathe out*
une **explosion** *explosion*
une **exposition** *exhibition*
exprimer *to express*
c'est **extra!** *it's fantastic!*
un **extrait** *extract*

F

fabriqué *made*
fabriquer *to make*
facile *easy*
facilement *easily*
la **faim** *hunger*
avoir **faim** *to feel hungry*
faire *to do*
la **famille** *family*
en **famille** *with the family*
le **fan-club** *fan club*
le/la **fana** *fan*
le **fard** *make-up*
la **farine** *flour*

fatigant *tiring*
fatigué *tired*
il **faut** *it is necessary*
il vous **faut** *you need*
la **faute** *mistake, fault*
faux, fausse *false*
le **féculent** *starchy food*
la **femme** *woman, wife*
fermé *closed*
la **ferme** *farm*
fermer *to close, shut*
la **fête** *festival, celebration*
la **feuille de papier** *sheet of paper*
la **feuille** *leaf*
le **feuilleton** *soap opera*
la **fiche** *form*
fiévreux, fiévreuse *feverish*
figurer *to feature*
le **fil** *wire*
la **fille** *girl, daughter*
le **film** *film*
le **fils** *son*
la **fin** *end*
le **flageolet** *kidney bean*
la **fleur** *flower*
fluorescent *fluorescent*
la **fois** *time*
à la **fois** *at the same time, at once*
combien de **fois?** *how often?*
une **fois par semaine** *once a week*
le **fond de teint** *foundation (make-up)*
la **forêt** *forest*
la **forme** *form, fitness, good shape*
avoir la **forme** *to be on top form*
être en **forme** *to be in good shape*
le **formulaire de patronnage** *sponsorship form*
fort *strong, good at*
fortement *deeply, strongly*
fou, folle *wild, crazy, mad*
fouiller *to search, rummage through*
la **fourche** *garden fork*
français *French*
francophone *French-speaking*
le **frein** *brake*
freiner *to brake*
le **frère** *brother*
le **frimeur** *show-off*
le **frisson** *shiver, thrill*
les **frites** *(f.pl)* *chips*
froid *cold*
avoir **froid** *to feel cold*
faire **froid** *to be cold*
le **fromage** *cheese*

le **fromage blanc** *soft white cheese*
le **front** *forehead*
la **frontière** *frontier*
la **fusée** *rocket*

G

gagner *to win, to earn*
le **gant** *glove*
le **gant de boxe** *boxing glove*
le **garçon** *boy*
garder *to keep, look after*
la **gare** *railway station*
le **gâteau** *cake*
le **gâteau sec** *biscuit*
gauche *left*
à **gauche** *on/to the left*
gaucher, gauchère *left-handed*
gazeux, gazeuse *fizzy*
c'est **génial!** *it's fantastic, great!*
le **genou, genoux** *(pl)* *knee*
la **genouillère** *knee-pad*
les **gens** *(m.pl)* *people*
gentil, gentille *gentle, kind*
le **gilet de sauvetage** *lifejacket*
la **glace** *ice, ice cream*
le **glaçon** *ice cube*
glisser *to slide, glide*
la **gomina** *hair gel*
la **gomme** *rubber*
la **gorge** *throat*
la **gourde** *water bottle*
goûter *to taste*
le **goûter** *tea*
graisser *to grease*
le **gramme** *gramme*
grand *big, tall*
les **grands-parents** *(m.pl)* *grandparents*
la **Grèce** *Greece*
la **grenouille** *frog*
grignoter *to nibble*
la **grippe** *'flu*
gris *grey*
gros, grosse *large, fat, big*
la **grotte** *cave*
le **guidon** *handlebars*
la **guitare** *guitar*
la **gymnastique** *gymnastics*

H

H.S. (hors service) *out of service*
s' **habiller** *to get dressed*
habité *inhabited*
une **habitude** *habit*

d' **habitude** *usually*
les **hanches** *(f.pl)* *hips*
haut *high, tall*
la **hauteur** *top, height*
une **heure** *hour*
de bonne **heure** *early*
heureux, heureuse *happy*
hier *yesterday*
une **hirondelle** *swallow*
une **histoire** *story*
l' **hiver** *(m)* *winter*
hollandais *Dutch*
un **homme** *man*
un **hôpital, hôpitaux** *(pl)* *hospital*
le **hoquet** *hiccoughs*
un **horoscope** *horoscope*
avoir **horreur de** *to hate*
l' **huile** *(f)* *oil*
humain *human*
humanitaire *humanitarian*
une **humeur** *mood*

I

idéal *ideal*
une **idée** *idea*
il *he, it*
il y a *there is, there are*
ils *they (m.pl)*
une **image** *picture*
imaginaire *imaginary*
n' **importe quoi** *anything, no matter what*
indépendant *independent*
l' **index** *(m)* *forefinger, index finger*
une **infirmière** *nurse*
influencer *to influence*
l' **informatique** *(f)* *computing*
un **ingrédient** *ingredient*
insolent *cheeky*
inspirer *to breathe in*
s' **installer** *to settle down, settle in*
intelligent *intelligent*
s' **intéresser à** *to be interested in*
une **interview** *interview*
interviewer *to interview*
intitulé *entitled*
irrité *irritated*
italien, italienne *Italian*
un **itinéraire** *route, itinerary*

J

j'ai *I have*
ne . . . **jamais** *never*
la **jambe** *leg*

le **jambon** *ham*
japonais *Japanese*
le **jardin** *garden*
le **jardinage** *gardening*
jaune *yellow*
je *I*
le **jean** *pair of jeans*
jeter *to throw*
le **jeu** *game*
jeudi *Thursday*
jeune *young*
les **jeunes** (m.pl) *young people*
les **Jeux Olympiques** (m.pl) *Olympic Games*
le **jogging** *tracksuit*
joli *pretty*
la **joue** *cheek*
jouer *to play*
le **jouet** *toy*
le **jour** *day*
tous les **jours** *every day*
le **journal** *diary, newspaper*
la **journée** *day*
le **judo** *judo*
juger *to judge*
le **jumeau** *male twin*
les **jumeaux** (m.pl) *twins*
la **jumelle** *female twin*
la **jupe** *skirt*
le **jus** *juice*
jusqu'à *until, up to*
juste *correct, right, just*

K

le **kilo** *kilo*
le **kimono** *kimono*

L

là *there*
la **the** *(f)*
laisser *to leave*
le **lait** *milk*
le **langage** *language*
la **langue** *language, tongue*
le **lapin** *rabbit*
laquelle *which (f)*
le **laurier** *laurel*
laver *to wash*
se **laver** *to wash oneself, get washed*
le **the** *(m)*
la **leçon** *lesson*
le **lecteur** *reader (male)*
la **lectrice** *reader (female)*
la **lecture** *reading*
la **légende** *caption*
le **légume** *vegetable*

lequel *which (m)*
les *the (pl)*
lesquelles *which (f.pl)*
lesquels *which (m.pl)*
la **lettre** *letter*
leur *their*
se **lever** *to get up*
lever *to lift*
les **lèvres** (f.pl) *lips*
le **lieu**, **lieux** (pl) *place*
le **lièvre** *hare*
la **ligne** *line*
le **liquide** *liquid*
lire *to read*
la **liste** *list*
le **lit** *bed*
le **litre** *litre*
la **livre** *pound (sterling)*
le **livre** *book*
le **loisir** *leisure, spare time*
long, longue *long*
la **longueur** *length*
le **look** *look, style*
la **louche** *ladle*
louer *to hire*
loufoque *crazy, barmy*
le **loup** *wolf*
lu *read*
lui *him, to him, to her*
la **lumière** *light*
lundi *Monday*
les **lunettes (de soleil)** (f.pl) *(sun) glasses*
le **lutin** *imp*
le **lycée** *secondary school*

M

la **macédoine de fruits** *fruit salad*
la **machine** *machine*
le **magasin** *shop*
le **magazine** *magazine*
magique *magic*
maigrir *to lose weight*
le **maillot de bain** *swimming costume*
la **main** *hand*
maintenant *now*
la **mairie** *town hall*
mais *but*
le **maïs** *popping corn, maize*
la **maison** *house*
la **maison des jeunes** *youth club*
à la **maison** *at home*
le **maître** *master*
malade *ill*
avoir **mal** *to feel ill*

avoir **mal à** *to have a pain (somewhere)*
avoir **mal à la tête** *to have a headache*
le/la **malade** *patient*
maladroit *clumsy*
le **malheur** *misfortune, unhappiness*
malheureux, malheureuse *unhappy*
malin *crafty, mischievous*
le **manche** *handle*
manger *to eat*
manquer *to lack, be missing*
le **manteau** *coat*
la **maquette** *model, model-making*
le **maquillage** *make-up*
se **maquiller** *to put make-up on*
la **marche** *walking*
marcher *to walk, work (of thing)*
mardi *Tuesday*
marrant *funny*
marron (inv.) *chestnut brown*
le **masque** *mask*
la **matière grasse** *fat*
la **matière** *school subject*
le **matin** *morning*
mauvais *bad*
faire **mauvais** *to be bad weather*
la **médaille** *medal*
le **médecin** *doctor*
médical *medical*
le **médicament** *medicine*
se **méfier de** *to be wary of, suspicious of*
meilleur *best*
mélanger *to mix*
la **mélasse** *mess*
le **membre** *member*
même *even, some*
la **mémoire** *memory*
mémoriser *to memorise*
le **ménage** *housework*
la **menthe** *mint*
le **menton** *chin*
la **mer** *sea*
à la **mer** *by the sea*
mercredi *Wednesday*
le **mercurochrome** *mercurochrome*
la **mesure** *measurement, measure*
mesurer *to measure*
la **Météo** *weather forecast*
le **métro** *underground*
mettre *to put, put on (clothes)*
le **microbe** *microbe, germ*
midi *midday*

mille *thousand*
des milliers de *thousands of*
mince *slim*
le **minéral** *mineral*
les **minéraux** *(m.pl)* *minerals*
la **mini-jupe** *mini-skirt*
la **mode** *fashion*
le **modèle** *model, example*
modéré *moderate, calm, restrained*
moi *me*
moins . . . que *less . . . than*
moins de *less than*
le **moins** *the least*
au **moins** *at least*
le **mois** *month*
le **moment** *moment*
le **monde** *world*
la **montagne** *mountain*
à la **montagne** *in the mountains*
montrer *to show*
le **moral** *spirits*
le **morceau** *piece*
la **morve** *mucus*
le **mot clé** *key word*
le **mot** *word*
le **moteur** *engine*
la **moto** *motor bike*
mou, molle *soft*
le **mouchoir** *handkerchief*
la **moustache** *moustache*
moyen, moyenne *average, medium*
le **moyen** *means*
le **moyen de transport** *means of transport*
moyennement *fairly, moderately*
muet, muette *silent, dumb*
le **mur** *wall*
le **muscle** *muscle*
le **musée** *museum*
le **musicien** *musician*
la **musique** *music*

N

nager *to swim*
la **naissance** *birth*
naître *to be born*
la **natation** *swimming*
la **navette** *shuttle*
faire la **navette** *to operate a shuttle service*
né *born*
ne . . . pas *not*
la **neige** *snow*
neiger *to snow*
nerveux, nerveuse *nervous*

nettoyer *to clean*
le **nez** *nose*
Noël *Christmas*
noir *black*
la **noix** *nut*
le **nom** *name, surname*
le **nom de famille** *surname, family name*
nommé *named*
nos *our (pl.)*
noter *to note*
notre *our*
nourrir *to feed*
la **nourriture** *food*
nous *we*
nouveau, nouvel, nouvelle *new*
la **nuit** *night*
le **numéro** *number*

O

obligatoire *compulsory*
obliger *to oblige, force*
occupé *busy*
s' **occuper de** *to look after*
une **odeur** *smell*
un **œil** *eye*
un **œuf** *egg*
offert *offered*
un **olivier** *olive tree*
une **ombrelle** *parasol, sunshade*
on *one, 'we'*
un **ongle** *fingernail*
ils **ont** *they have*
une **opération** *operation*
or *gold*
une **orange** *orange*
un **ordinateur** *computer*
l' **ordre** *(m)* *order*
une **oreille** *ear*
organiser *organise*
l' **ornithologie** *(f)* *bird-watching*
les **orteils** *(m.pl)* *toes*
où *where*
oublier *to forget*
oui *yes*
ouvrir *to open*
l' **oxygène** *(m)* *oxygen*

P

le **pain** *bread*
la **paire** *pair*
le **panier** *basket*
le **panier de provisions** *shopping basket*
le **pantalon** *pair of trousers*
le **papier** *paper*

le **paquet** *packet*
par *by, per*
le **parachutisme** *parachuting*
le **parapluie** *umbrella*
le **parc** *park*
le **parc d'attractions** *amusement park, funfair*
parce que *because*
le **parfum** *perfume, flavour*
parler *to speak, talk*
la **parole** *word (spoken)*
prendre la parole *to speak*
le/la **partenaire** *partner*
participer *to take part in*
la **partie** *part*
faire **partie de** *to be a part of*
partir *to leave, depart*
partir du bon pied *to get off to a good start*
partout *everywhere*
le **passe-temps** *pastime, hobby*
passer *to spend (time)*
se **passer** *to happen*
la **passion** *passion*
passionnant *exciting*
passionné *passionate*
passionnément *passionately*
passionner *to interest*
la **pâte** *mixture*
les **pâtes** *(f.pl)* *pasta*
le **patin à roulettes** *roller-skating*
le **patinage** *ice-skating*
la **patinoire** *skating-rink*
le **patin** *brake block*
les **patins** *(m.pl)* *skates*
les **patins à roulettes** *roller skates*
le **patronage** *sponsorship*
la **patte** *paw, animal's foot*
la **paupière** *eyelid*
la **pause** *break*
le **pays** *country*
le **Pays de Galles** *Wales*
la **peau** *skin*
la **pêche** *fishing*
la **pêche** *peach*
le **péché mignon** *weakness*
le **peigne** *comb*
le **peintre** *painter*
la **peinture** *painting*
la **pellicule** *film (for a camera)*
la **pelouse** *lawn*
pendant *for, during*
la **pendule** *clock*
perdre *to lose*
se **perdre** *to get lost*
perdu *lost*
le **père** *father*
le **perroquet** *parrot*

la perruque *wig*
le personnage *character, individual*
la personne *person*
peser *to weigh*
pétillant *fizzy*
petit *small, little*
le petit déjeuner *breakfast*
la petite amie *girlfriend*
les petits pois *(m.pl)* *peas*
un peu *a little*
la peur *fear, fright*
avoir peur *to be afraid*
je peux *I can*
la philatélie *stamp collecting*
le phoque *seal*
phosphorescent *luminous*
la photo *photo*
la photographie *photography*
la phrase *sentence*
le physique *physique*
picorer *to peck, pick at food*
le picoreur *someone who picks at food*
la pictogramme *picture puzzle*
la pièce *piece, chess piece*
la pièce (de monnaie) *coin*
. . . la pièce *. . . each*
le pied *foot*
à pied *on foot*
le pin's *metal badge*
pincer *to pinch*
le pingouin *penguin*
piocher *to pick up (a card)*
le pique-nique *picnic*
la piscine *pool*
la piste *(ski) slope*
sur place *on the spot*
à la place de *instead of, in place of*
la plage *beach*
le gros plan *close-up view*
la planche à voile *windsurfing*
la plaque *flash*
plastique *plastic*
le plat *dish*
il pleut *it's raining*
pleuvoir *to rain*
le pliant *folding campstool*
plier *to fold, bend*
la plongée *diving*
se plonger dans *to dive into*
plus *more*
plus que *more than*
plus . . . que *more . . . than*
plusieurs *several, many*
plutôt *rather*
le pneu *tyre*
la poche *pocket*
la poêle *frying pan*

le poids *weight*
le poil *hair*
la poire *pear*
le poisson *fish*
Poissons *Pisces*
la poitrine *chest*
la pomme *apple*
la pomme de terre *potato*
la pomme de pin *pine cone*
la pompe *pump*
un coup de pompe *pump-up*
le pont *bridge*
populaire *popular*
la porte *door*
le porte-clefs *key ring*
porter des lunettes *to wear glasses*
porter *to wear, to carry*
poser une question *to ask à question*
le poste de TV *TV set*
le potage *soup*
le pouce *thumb*
la poule *hen*
le poulet *chicken*
le poumon *lung*
pour *for, in order to*
pourquoi *why*
la poussière *dust*
pouvoir *to be able*
pratiquer *to practise, take part in*
se précipiter *to hurry, rush*
préféré *favourite*
le premier *first (male)*
premier, première *first*
la première *first (female)*
prendre *to take*
le prénom *first name*
se préparer à *to get ready to*
préparer *to prepare*
la pression *pressure*
les prévisions *(f.pl)* *forecast*
principal, principaux *(pl)* *main*
privé *private*
le prix *price*
le problème *problem*
prochain *next*
le produit *product, goods*
le/la professeur *teacher*
le profil *profile*
profiter de *to take advantage of*
programmer *to programme (computers)*
les progrès *(m.pl)* *progress*
le projet *plan, project*
se promener *to go for a walk*

la protéine *protein*
provoquer *to make, to cause, provoke*
prudent *careful*
la publicité *adverts*
puis *then, next*
le pull *sweater*

Q

quand *when*
la quantité *quantity*
le quart d'heure *quarter of an hour*
le quartier *neighbourhood*
quatrième *fourth*
que *which, that*
quel, quelle *what*
quelque chose *something*
quelque part *somewhere*
quelquefois *sometimes*
quelques *some, a few*
le questionnaire *questionnaire*
qui *who*
quitter *to leave*
quoi *what*
quotidien, quotidienne *daily*

R

raconter *to tell*
le radis *radish*
le rafting *rafting*
ramasser *to collect, pick up*
la rame *oar, rowing*
à la rame *by rowing*
le ramollo *sluggish person*
la randonnée *ramble, hike*
ranger *to tidy*
râpé *grated*
rapide *fast*
le rapport *report*
se rapporter à *to relate to, refer to, connect*
rapporter *to bring back*
la raquette *racket*
le râteau *rake*
rater *to miss, spoil*
la rayure *stripe*
réaliser *to carry out, fulfill*
récent *recent*
la recette *recipe*
recevoir *to receive*
les recherches *(f.pl)* *research*
recommencer *to start again*
le record *record*

la récré (récréation) *breaktime*
recueillir *to collect*
se redresser *to stand up*
regarder *to watch*
le régime *diet*
régler *to adjust*
régulièrement *regularly*
relever *to lift*
le remède *remedy*
remettre *to put back*
remplacer *to replace*
remplir *to fill*
remuer *to stir, shake*
la rencontre *meeting*
rencontrer *to meet*
le rendez-vous *appointment, meeting*
se rendre à *to go to*
renouveler *to replenish*
la rentrée *back to school time*
rentrer *to return*
rentrer à la maison *to go home*
le repas *meal*
replier *to fold up*
répondre à *to reply*
la réponse *reply, answer*
le reportage *report*
représenter *to represent*
la résidence *residence*
respirer *to breathe*
ressembler *to resemble*
se ressembler à *to resemble*
rester *to stay*
rester en forme *to keep fit*
les résultats *(m.pl) results*
le résumé *summary*
retenir *retain*
retourner *to turn over*
retrouver *to find*
se retrouver *to meet one another*
se réveiller *to wake up*
rêveur, rêveuse *dreamy*
ri *laughed*
ne . . . rien *nothing*
rigolo, rigolote *funny, amusing*
rire *to laugh*
le riz *rice*
la robe *dress*
faire du roller *to roller skate*
romain *Roman*
le roman *novel*
romantique *romantic*
rond *round*
ronger *to bite, gnaw*
rose *pink*
la roue *wheel*
rouge *red*

le rouge à lèvres *lipstick*
rouler *to roll, to ride along*
rouler en boule *to roll into a ball*
roux, rousse *red-haired*
la rue *street*
russe *Russian*
le rythme *rhythm*

S

le sac de couchage *sleeping bag*
le sac à dos *back pack*
le sac *bag*
sain *healthy*
la salade *lettuce*
la salle de bains *bathroom*
la salle des sports *sports hall*
la salopette *pair of dungarees*
samedi *Saturday*
le sanglier *wild boar*
sangloter *to sob*
sans *without*
la santé *health*
le sapin *fir tree, Christmas tree*
satisfait *satisfied*
la saucisse *sausage*
le saucisson *sausage (salami-type)*
sauter *to jump*
savoir *to know*
scientifique *scientific*
la séance *performance, session*
sec, sèche *dry*
sécher *to dry*
la seconde *second*
secouer *to shake*
le secret *secret*
le séjour *stay*
le sel *salt*
la sélection *selection*
la selle *saddle*
selon *according to*
la semaine *week*
sembler *to seem*
le sens *meaning*
sensationnel! *sensational! great!*
se sentir *to feel*
le serpent *snake*
servir *to serve*
se servir de *to use*
seul *alone*
seulement *only*
le shopping *shopping*
le short *pair of shorts*

si *if, so*
la silhouette *silhouette*
le singe *monkey*
le sirop *syrup, cordial*
la situation familiale *marital status*
la sœur *sister*
la soif *thirst*
avoir soif *to feel thirsty*
le soir *evening*
la soirée *evening party, evening out*
le sol *ground*
le soleil *sun*
solitaire *lonely, alone*
le sommeil *sleep*
avoir sommeil *to be sleepy*
le sondage *survey*
la sonnette *bell*
ils sont *they are*
la sortie *outing, exit*
sortir *to go out*
souffrir *to suffer*
souhaiter *to wish*
se soulever *to raise oneself, lift oneself*
souligner *to underline*
les sourcils *(m.pl) eyebrows*
sourire *to smile*
le sourire *smile*
la souris *mouse*
sous *under, underneath*
sous-marin(e) *underwater*
soutenir *to support*
le souvenir *souvenir*
souvent *often*
spatial *spatial*
le spationaute *astronaut*
la spatule *spatula*
le spectacle *show*
sponsoriser *to sponsor*
sportif, sportive *sporty*
le stade *sports stadium*
le stage *training course*
en stage *on a course*
la star *(film) star*
le stylo *pen*
la sucette *lollipop*
le sucre *sugar*
sucré *sweet*
les sucreries *(f.pl) sweets*
suivant *following*
suivre *to follow*
le supermarché *supermarket*
sur *on*
le surf *surfing*
surtout *especially, above all*
le survêtement *tracksuit*
sympa *nice, friendly*
le système *system*

T

ta   *your (f)*
le **tableau**   *painting, picture*
la **taille**   *height, size*
la **tante**   *aunt*
taper   *to type, dial*
la **tartine**   *slice of bread and butter*
la **télé**   *telly*
le **téléspectateur**   *viewer*
la **télévision**   *television*
la **température**   *temperature*
le **temps**   *weather*
il est grand **temps à . . .**   *it's high time to . . .*
de **temps en temps**   *from time to time*
les **tennis** *(m.pl)*   *tennis shoes*
la **tenue**   *outfit*
le **terrain**   *pitch*
la **terre**   *ground, earth*
tes   *your (pl)*
la **tête**   *head*
avoir la **tête en l'air**   *to be absent-minded*
le **thé**   *tea*
faire du **théâtre**   *to do drama*
le **théâtre**   *theatre*
le **thermomètre**   *thermometer*
le **thermos**   *vacuum flask*
le **thon**   *tuna*
le **tiers monde**   *Third World*
le **timbre**   *stamp*
timide   *shy*
la **tirelire**   *money box*
tirer   *to pull, stretch*
le **titre**   *title*
tomber   *to fall*
ton   *your (m)*
tondre   *to mow*
tôt   *early*
toujours   *always*
faire un **tour**   *to go for a spin, walk*
le **tour**   *turn*
à **tour de rôle**   *in turn*
le **tourbillon**   *swirl*
tourner   *to turn*
le **tournoi**   *tournament*
tous, toutes   *all*
tout   *all, everything*
tout de suite   *immediately*
tracer   *trace*
le **train-train**   *routine*
travailler   *to work*
traverser   *to cross*
très   *very*
triste   *sad*
en **trompette**   *turned up*
trop   *too, too much*
le **trou**   *hole*

troublé   *worried*
la **trousse de bricolage**   *repair kit*
la **trousse de premier secours**   *first aid kit*
la **trousse de toilette**   *toilet bag*
trouver   *to find*
se **trouver**   *to be found, situated*
le **truc**   *thing, trick, knack*
tu   *you*
tué   *killed*
la **Tunisie**   *Tunisia*
typique   *typical*

U

un, une   *one, a*
un **uniforme**   *uniform*
l' **univers** *(m)*   *universe*
usé   *worn out*
un **ustensile**   *utensil*
utiliser   *to use*

V

il **va**   *he goes*
les **vacances** *(f.pl)*   *holidays*
je **vais**   *I go*
la **vaisselle**   *washing-up*
faire la **vaisselle**   *to wash up*
valable   *valid*
la **valise**   *suitcase*
la **vedette**   *(film) star*
végétarien, végétarienne   *vegetarian*
la **veille**   *the day before, eve*
le **vélo**   *bicycle*
vendre   *to sell*
vendredi   *Friday*
vendu   *sold*
Venez, venez, venez!   *Roll up!*
venir   *to come*
le **vent**   *wind*
faire du **vent**   *to be windy*
en **vente**   *on sale*
la **vente aux enchères**   *auction*
le **ventre**   *stomach*
venu   *came*
le **verbe**   *verb*
vérifier   *to check*
véritable   *absolute, real, true*
le **vermicelle**   *vermicelli*
le **verre**   *glass*
vers   *towards*
verser   *to pour*
vert   *green*
la **veste**   *jacket*
le **vêtement**   *item of clothing*
les **vêtements** *(m.pl)*   *clothes*

la **vie**   *life*
vieux, vieille   *old*
vif, vive   *lively*
la **vignette**   *label, picture*
la **ville**   *town*
en **ville**   *in town*
le **vin**   *wine*
violet, violette   *violet*
le **visage**   *face*
visiter   *to visit*
visser   *to tighten*
vite   *fast, quickly*
vive . . . !   *long live . . . !*
voici   *here is, here are*
voilà   *there is, there are*
la **voile**   *sailing*
voir   *to see*
le **voisin**   *neighbour*
la **voiture**   *car*
voler   *to fly*
vos   *your (pl)*
votre   *your*
vouloir   *to want, wish*
vous   *you*
le **voyage**   *journey*
voyager   *to travel*
vrai   *true, real*
vu   *seen*

W

le **week-end**   *weekend*
le **western**   *western (film)*

Y

y   *there*
le **yaourt**   *yoghurt*
les **yeux** *(m.pl)*   *eyes*